LE RÉGIME
crétois

ÉDITIONS FRANCE LOISIRS

Maquette intérieure et couverture : Marie-Astrid Bailly-Maître
Photographies : DR pour Jacques Fricker et © Annie Le Bras pour Dominique Laty
Adaptation et mise en page : Nelly Benoit
Secrétariat d'édition : Sylvie Gauthier

Édition du Club France Loisirs,
avec l'autorisation des Éditions Hachette.

Éditions France Loisirs,
123, boulevard de Grenelle, Paris
www.franceloisirs.com

JACQUES FRICKER
DOMINIQUE LATY

LE RÉGIME *crétois*

Bienfaits et recettes *pour la vie d'aujourd'hui*

Introduction

« La Crète est un continent, non une île. »
L'été grec, Jacques Lacarrière, Plon, 1975

En Crète, île méditerranéenne située aux confins des Cyclades, la civilisation minoenne atteignit son apogée aux XVe et XVIe siècles avant notre ère. Le mélange de raffinement et de simplicité qui caractérisait sa culture se retrouve encore aujourd'hui dans sa cuisine. Celle-ci a évolué au fil des siècles, influencée par les gastronomies étrangères, celle de Venise notamment, et par l'importation de produits nouveaux, comme la tomate venue des Amériques.

Le régime crétois traditionnel repose sur des principes simples et immuables :

– consommer chaque jour du pain, des céréales, des fruits, des légumes frais ou secs, des fromages, ou des yaourts, et des olives ;

– cuire et assaisonner à l'huile d'olive ;
– boire de l'eau et un peu de vin rouge ;
– consommer plusieurs fois par semaine du poisson, du poulet, des œufs et des desserts sucrés ;
– apprécier, trois ou quatre fois par mois seulement, de la viande rouge.

Très tôt, en 1788, un écrivain voyageur, M. Savary, témoigne dans ses lettres sur la Grèce de l'influence positive, sur le bien-être de la population, du climat de la Crète, de ses productions agricoles, ainsi que des aliments consommés par ses habitants.

Un siècle plus tard, en 1881, le docteur Husson note à son tour la bonne santé des habitants de la Grèce, et des îles grecques, qui privilégiaient déjà les fruits et les légumes. Aujourd'hui, le constat des scientifiques concorde avec ces témoignages et nous apporte la preuve que les Crétois ont l'une des plus longues espérances de vie du monde, et, comme l'a montré dans les années 50 le chercheur américain Ancel Keys, les vertus de leur alimentation ne sont pas étrangères à cette longévité.

Plus récemment, Serge Renaud a confirmé les résultats des recherches d'Ancel Keys en utilisant non pas le régime crétois *stricto sensu*, mais en adaptant certains de ses principes aux repas quotidiens d'un groupe de patients lyonnais souffrant de problèmes cardiaques. Cette découverte se révéla fondamentale, car elle permettait de comprendre et de vérifier que l'application de certains principes simples réduit considérablement l'incidence des maladies telles que le cancer, ou les maladies cardio-vasculaires, sans qu'il soit nécessaire pour autant de bouleverser ses habitudes alimentaires.

Ainsi la preuve était apportée que le régime crétois « adapté » conserve bien ses vertus et qu'il peut être bénéfique pour toute personne désireuse de rester en bonne santé.

Forts de ces constatations, nous vous proposons des conseils « crétois » concernant la préparation de vos repas, conseils savoureux et simples à mettre en œuvre au quotidien pour vous comme pour vos proches. Parallèlement, nous avons élaboré 150 recettes d'inspiration crétoise, adaptées au mode de vie actuel afin qu'elles s'intègrent tout naturellement aux menus de vos repas.

Ces recettes sont rapides, trente à quarante-cinq minutes en moyenne de préparation, et simples pour des personnes actives qui veulent se nourrir sainement sans perdre trop de temps dans leur cuisine.

Tous les plats ont un accompagnement, ce qui simplifie l'élaboration des menus. Leur réalisation est aisée. Pour ceux qui souhaitent adopter plus largement la diète crétoise, nous leur proposons des idées de menus, équilibrés, ou pensés en fonction des saisons.

Avec ces conseils et ces recettes, le lecteur redécouvrira le sens du mot régime qui correspond tout simplement à une façon correcte et plus équilibrée de se nourrir, pour améliorer sa forme et sa santé.

Un demi-siècle de recherches scientifiques

Le régime crétois et ses conséquences n'ont pas fini d'étonner les chercheurs et de leur adresser des clins d'œil. Aussi n'est-il pas étonnant que ce soit par un paradoxe qu'ait débuté l'analyse scientifique des coutumes alimentaires dans cette île de la Méditerranée.

➤ LA FONDATION ROCKFELLER S'EN VA AUX CHAMPS

En 1948, les autorités grecques avaient à cœur d'améliorer l'état de santé et les conditions sociales de leurs ressortissants, mis à mal par plusieurs années d'une guerre éprouvante. Ceux-ci s'adressaient alors à la Fondation Rockfeller – créée et financée en majeure partie par la famille du même nom, une grande dynastie industrielle américaine, cette fondation coordonne plusieurs activités scientifiques, dont un certain nombre relèvent du domaine de la santé – afin de réaliser une grande étude épidémiologique en Crète pour déterminer les conditions d'une amélioration du mode de vie des habitants de l'île.

Sous la direction d'un épidémiologiste, Leland Allbaugh, une équipe de chercheurs est envoyée en Crète avec pour tâche l'observation très approfondie d'un foyer sur 150 afin de décrire le mode de vie, l'état de santé et les habitudes alimentaires des Crétois. L'ordre de mission de l'équipe précisait que celle-ci devait découvrir comment « la connaissance du savoir-faire des pays industrialisés pouvait mieux servir des contrées sous-développées telles que la Crète ».

Cette étude nutritionnelle atteint une ampleur rarement égalée depuis. De nombreux volontaires grecs de la Croix-Rouge y participèrent en vivant une dizaine de jours au sein même des familles, afin de pouvoir répertorier et peser l'ensemble des aliments consommés.

Les chercheurs comparèrent ensuite la consommation alimentaire des Crétois à celle des Américains qu'ils connaissaient déjà. Il apparut que les premiers ne mangeaient pas moins gras que les seconds, mais que l'origine des matières grasses était tout à fait différente : alors qu'aux États-Unis, ces dernières sont en grande partie d'origine animale (viandes ou produits laitiers, beurre, œufs, frites et autres fritures, chips, pâtisseries, crèmes glacées, biscuits, etc.), en Crète elles proviennent majoritairement (à près de 80 %) des olives et de l'huile d'olive. Autre constat : les Crétois mangeaient nettement plus de légumes secs et d'aliments d'origine céréalière (le pain), sources de protéines végétales, et nettement moins d'aliments riches en protéines animales tels que la viande, les œufs ou les produits laitiers. Surtout, ils consommaient près de deux fois plus de fruits et de légumes que les Américains.

Les chercheurs s'attendaient à observer des signes de malnutrition identiques à ceux qui sévissent encore dans certains pays en voie de développement. Or, l'état de santé et nutritionnel des Crétois surprit Leland Allbaugh et ses collègues : il était globalement excellent, sauf dans certains foyers aux ressources économiques particulièrement faibles.

L'étude de la Fondation Rockfeller concluait ainsi qu'une alimentation traditionnelle, ayant peu changé au fil des siècles, peut satisfaire l'ensemble des besoins nutritionnels du corps humain lorsqu'elle est basée sur une quantité importante d'aliments d'origine céréalière, de légumes verts, de fruits, d'aromates, d'olives, de légumes secs, le tout associé à des quantités modestes de poisson, de viande ou de produits laitiers.

➤ ANCEL KEYS ET SON ÉTUDE DES SEPT PAYS

L'étude de la Fondation Rockfeller avait permis d'établir dans les grandes lignes les caractéristiques du régime crétois et de montrer que celui-ci, loin d'induire des carences, contribue à une bonne santé. Il restait à le comparer plus précisément à d'autres modèles alimentaires en termes de pathologies cardio-vasculaires et de longévité.

En 1952, Ancel Keys, un chercheur américain, se lançait dans une étude comparative portant sur les habitudes alimentaires et les risques de maladies cardio-vasculaires de sept pays : les États-Unis, la Finlande, la Hollande, le Japon, l'Italie, la Yougoslavie et la Grèce, en différenciant pour ce dernier pays l'île de Corfou (située entre l'Italie et la péninsule hellénique) et la Crète (en mer Égée, à l'extrémité sud de l'archipel des Cyclades). Cette étude allait suivre de façon précise l'état de santé de 13 000 individus répartis dans ces sept pays pendant plus de vingt ans, les répercussions des habitudes alimentaires sur la santé n'étant jamais immédiates.

Les résultats furent riches d'enseignement, notamment en ce qui concerne la mortalité par maladie coronarienne et par infarctus du myocarde : ainsi, sur 100 000 habitants, on dénombrait en dix ans 9 décès d'origine coronarienne en Crète pour plus de 400 (soit près de 50 fois plus !) aux États-Unis ou en Finlande ; à Corfou ainsi que dans les autres pays méditerranéens (Yougoslavie, Italie) ou au Japon, les décès étaient moins élevés qu'aux États-Unis, mais nettement supérieurs à ceux de la Crète.

On aurait pu supposer que si les Crétois mouraient peu d'accident cardiaque, c'est parce que de nombreuses autres causes de mortalité prévalaient. Or, ce n'est pas uniquement au niveau du cœur, mais de façon globale, que la population en Crète paraissait miraculeusement protégée : la mortalité toutes causes confondues y était, après quinze ans, presque trois fois moins élevée qu'en Finlande et deux fois moins qu'en Italie ou au Japon. Le cancer, par exemple, apparaissait deux fois moins fréquent qu'en Italie, en Hollande ou en Finlande.

Il fallait se rendre à l'évidence : grâce à leur mode de vie, et peut-être de par leur hérédité, les Crétois affichaient dans leur ensemble une santé insolente. Des résultats d'autant plus inattendus que, l'étude de la Fondation Rockfeller l'avait déjà souligné, l'alimentation était plutôt grasse et pauvre en viande. Or, à l'époque, on pensait, non seulement qu'il fallait de grandes quantités d'aliments d'origine animale pour être au mieux de sa forme, mais surtout que toutes les graisses étaient néfastes pour le cholestérol et pour le cœur. Les résultats de l'étude de Keys semblant infirmer cela, des recherches scientifiques s'intéressèrent plus particulièrement à l'huile d'olive, principale matière grasse consommée dans le Bassin méditerranéen, et en révélèrent bientôt les qualités. Un point demeurait néanmoins en suspens : si les Crétois apparaissaient en meilleure santé que leurs compatriotes du continent ou de l'île de Corfou ou encore de leurs voisins italiens ou yougoslaves, tous grands consommateurs d'huile d'olive, c'est que d'autres facteurs intervenaient dans cette protection ; mais lesquels ?

L'Europe coupée en deux

De 1963 à 1965, la Commission européenne à l'énergie atomique (EURATOM) mena une enquête auprès de 3 725 familles réparties dans onze régions de six pays européens. Son objectif n'était pas en soi de caractériser une diète plutôt qu'une autre, mais d'évaluer la consommation des aliments potentiellement sources de contamination radioactive en cas d'accident nucléaire.

Elle permit néanmoins de confirmer les disparités culinaires au sein de l'Europe, évoquées dans l'étude initiée par Ancel Keys : l'alimentation des pays méditerranéens était riche en aliments d'origine céréalière, en poisson, en fruits et en légumes, mais, comparée aux pays du Nord, pauvre en viande, œufs, pommes de terre et sucreries. La quantité de matières grasses s'avérait partout à peu près identique, mais la nature de celles-ci différait : margarine et beurre dans les pays du Nord ; huile d'olive dans ceux du Sud.

Par ailleurs, en confrontant trois régions italiennes, l'une au nord du pays, les deux autres au sud, cette enquête révéla qu'en matière d'alimentation les caractéristiques nationales passent souvent au second plan par rapport aux coutumes régionales : en Italie du Nord, les habitants mangeaient plutôt comme ceux d'Europe du Nord, alors qu'au sud, le régime méditerranéen était à l'honneur. Un constat que l'on peut également faire avec la France où les traditions culinaires du nord sont bien différentes de celles du sud !

➤ L'ÉTUDE DE LYON OU LA PREUVE QUI MANQUAIT

On pouvait également se poser d'autres questions : le mode de vie crétois diffère en de nombreux points de celui que connaissent les Américains ou les Finlandais : rythme plus « relax », sieste quotidienne, présence du soleil et de la mer, douceur du climat, habitudes sociales, etc., autant de facteurs qui peuvent, théoriquement du moins, influencer à la fois le moral et la santé.

C'est à Serge Renaud (l'un des chercheurs à avoir mis en évidence le rôle joué par le vin dans ce qu'on a appelé « le paradoxe français ») que l'on doit d'avoir apporté la preuve irréfutable des effets bénéfiques de l'alimentation crétoise.

Au milieu des années 90, ce chercheur français conduisit une étude à l'hôpital de Lyon, avec la collaboration de l'équipe du service des pathologies cardio-vasculaires : 605 patients ayant eu un infarctus du myocarde dans les mois qui précédaient se portèrent volontaires pour tester deux types de régimes censés prévenir une récidive.

Le premier correspondait à celui classiquement proposé jusqu'alors aux personnes cardiaques tant en France qu'aux États-Unis. Il s'attachait avant tout à faire baisser le cholestérol, en insistant particulièrement sur la diminution des graisses d'origine animale au profit de celles d'origine végétale – huiles plutôt riches en acides gras polyinsaturés (huiles de tournesol ou de maïs) – sans prendre en compte d'autres aspects de l'alimentation.

Le second régime proposé se rapprochait, lui, du régime crétois « accommodé à la lyonnaise » et peut se résumer à six points :
– davantage de pain et d'aliments d'origine céréalière (pâtes, semoule, etc.) ;
– plus de fruits et légumes ;
– plus de poissons ;
– moins de viande, et si possible remplacement de la viande par de la volaille ;
– aucune journée sans fruits ;
– remplacement du beurre et de la crème par de l'huile d'olive et de la margarine à base d'huile de colza.

Ce régime faisait également la part belle à la convivialité en autorisant deux repas « libres » par semaine — au restaurant ou chez des amis — au cours desquels le patient pouvait consommer un ou deux verres de vin rouge, dont les effets protecteurs devaient compenser les éventuels effets néfastes de plats plus riches.

Très rapidement, il apparut avec le second régime une baisse importante des problèmes cardiaques ainsi que la réduction concomitante de la fréquence des cancers. Preuve était donc faite que le régime crétois est particulièrement bénéfique pour les artères, le cœur et la santé en général, et qu'il constitue l'une des cultures gastronomiques les plus, voire la plus, protectrices pour l'homme.

Les résultats spectaculaires de l'étude de Lyon

Un an après le début de l'étude, on notait déjà deux tiers de décès en moins dans le groupe soumis au régime crétois par rapport au groupe suivant le régime classique. En fait, c'est toutes les complications cardio-vasculaires qui étaient en recul :

- 0 infarctus contre 2 pour le régime hypocholestérolémiant ;
- 4 personnes continuant à souffrir d'une angine de poitrine contre 21 ;
- 2 insuffisances cardiaques contre 8 ;
- 0 accident vasculaire cérébral contre 3 ;
- 0 embolie contre 3.

Au bout de deux ans, les décès toutes causes confondues et par maladies cardio-vasculaires parmi les patients du second groupe étaient respectivement 70 % et 76 % moindres que parmi ceux soumis au régime hypocholestérolémiant classique.

Au bout de quatre ans, l'aspect bénéfique du « régime crétois accommodé à la lyonnaise » se confirmait avec une réduction des décès cardiaques de 65 %, des décès toutes causes de 56 % et même des cancers de 60 %.

Or, le cholestérol a baissé de la même façon avec les deux régimes. Le régime crétois agit donc au-delà de la seule baisse du cholestérol, qui ne constitue en fait qu'une étape intermédiaire dans le processus qui conduit à l'infarctus. Le régime crétois a une action plus directe, plus efficace : il empêche la formation des caillots qui bouchent les artères coronaires (celles qui irriguent le cœur) et provoquent l'infarctus.

➤ UNE PREUVE « A CONTRARIO »

En 1948, au cours de leur étude des mœurs alimentaires crétoises, les chercheurs de la Fondation Rockfeller avaient demandé aux habitants de l'île quels étaient leurs souhaits quant à l'amélioration de leur nourriture. La plupart citèrent alors la viande rouge ; le riz, le poisson, les pâtes, le beurre et le fromage figuraient également en tête des aliments qu'ils auraient aimé voir plus souvent sur leur table.

Depuis, les études récentes de consommation montrent que ces souhaits se sont réalisés parallèlement à l'accroissement du niveau économique. Aujourd'hui, en Grèce (sur le continent comme dans les îles), on constate une augmentation de la consommation des produits d'origine animale tels la viande, le poisson et le fromage, et simultanément une diminution de celle du pain, des fruits ou de l'huile d'olive. Une tendance qui se retrouve dans les autres pays méditerranéens avec, pour corollaire, une hausse des taux de cholestérol, de diabète, de maladies cardio-vasculaires ou de certains cancers.

Cette double évolution, de la nourriture et de certaines maladies,

Les Crétois dans les années 90

Ces trente dernières années, en Crète comme dans le reste de la Grèce, le mode de vie a été bouleversé : le revenu par habitant a été multiplié par vingt avec une modification parallèle de l'alimentation : réduction de la consommation de fruits, de pain et d'huile d'olive, mais augmentation de celle de fromages et de viande, d'où une élévation de l'apport en protéines et en acides gras saturés avec une baisse de 20 % des acides gras mono-insaturés. Parallèlement, on a observé une tendance à l'augmentation du taux de maladies cardio-vasculaires...

montre qu'une situation n'est jamais acquise, et confirme *a contrario* les effets bénéfiques du régime crétois traditionnel. Elle montre par ailleurs toute la fragilité d'une alimentation traditionnelle face à l'attirance spontanée de l'homme pour les aliments d'origine animale, qui peut conduire parfois à des excès lorsque ces produits deviennent facilement accessibles et disponibles en quantités importantes. Mais les « infidélités » des Crétois envers leur régime ancestral doivent également conduire les médecins, les nutritionnistes et les responsables de la santé publique à un certain pragmatisme quant aux conseils édictés concernant la « meilleure façon de manger ». Il n'existe pas une mais plusieurs « bonnes façons de manger », et il serait irréaliste aujourd'hui d'imposer ce régime traditionnel à chaque Français.

C'est pourquoi les conseils pratiques ainsi que les recettes de ce livre n'ont d'autre objectif que de s'inscrire dans votre alimentation quotidienne, sans bouleverser vos habitudes d'achat, ni votre mode de vie, et cela pour concilier bénéfices pour la santé, simplicité et convivialité.

Le Crétois à table

Réputée pour sa frugalité, la cuisine crétoise correspond assez à celle de l'Athénien modèle décrit par Platon au Ve siècle avant Jésus-Christ, dont l'ordinaire se compose d'olives, de fromage, de pain et de fruits ; elle se démarque donc de la cuisine sicilienne qui, toujours selon l'auteur du *Banquet,* multiplie les saveurs et incite à la gourmandise. Mais ce serait faire offense aux Crétois que de nier les parfums et couleurs de leur cuisine !

Depuis des siècles, la Crète cultive des céréales (blé, lin, sésame, orge), se livre à l'élevage (ovin, porcin et caprin) et exporte ses olives, ses raisins secs, son miel et son vin. Et tout naturellement, le Crétois consomme les produits que lui donnent à la fois sa terre et la mer, quatre éléments essentiels revenant sans cesse dans son alimentation : l'huile d'olive, le pourpier (sorte de salade), les escargots et le *vlita* (un légume que les Chinois appellent « épinard africain »). Les repas évoluent au fil des saisons – en hiver, on consomme plus de pâtes, de haricots et de lentilles – mais comportent toujours du pain ; confectionné avec diverses céréales, ce dernier ressemble le plus souvent à une galette séchée au four. Il peut être cuit avec ou sans levain, parfumé au pavot, au cumin, à l'anis, être aux olives ou aux raisins…

Le Crétois (proximité de la mer oblige !) aime le poisson, essentiellement le rouget barbet, le mulet, le loup, la rascasse, la bonite, le mérou, la sardine, l'espadon ; les anchois sont servis à part, en accompagnement d'une salade de haricots par exemple ; la daurade est prisée, qu'elle soit royale (*tsipoura*), rose (*fagri*) ou grise (*sargos*) ; le thon, consommé cru ou en conserve, est apprécié notamment en salade ; la sole est frite à l'huile d'olive. Le Crétois est également friand de petits escargots gris, préparés en sauce avec des tomates, pommes de terre et oignons (*bochlious stifado*), d'oursins, de crabes ou de bigorneaux. Il se régale de poulpe (*oktapodi*) qu'il pêche avec un trident, le *kamaki*, et de petits calmars préparés en beignets (*kalamarakia*).

Mais son ordinaire se compose principalement de légumes. Concombre, courges, fenouil (dont on consomme les feuilles comme le bulbe), radis, betterave, ou encore pissenlit (*radika*) et artichauts (*stamnangathia*) qui poussent à l'état sauvage, expliquent la variété des salades crétoises, que viennent relever divers aromates et condiments : origan, cumin, menthe, romarin, persil, aneth, basilic, céleri, cannelle et sauge, sans oublier, bien sûr, ail et oignons. Outre la salade paysanne traditionnelle (*salata horiatiki*), le yaourt au concombre (*tzatziki*) ou encore la soupe de haricots à l'huile (*fassolada*), le repas peut comporter des feuilles de vigne farcies au riz (*dolmadakia*), de la purée de pois chiches (*houmus*) ou de la crème de sésame (*tahini*) ; un chausson au fromage (*bougatsa*) ou quelques noix viendront calmer une petite faim…

Quand le Crétois mange de la viande, c'est le plus souvent de l'agneau ou du poulet grillés avec des aromates et accompagnés de légumes crus, parfois du lapin cuit à l'estouffade (*stifado*), des brochettes arrosées de citron (*souvlaki*), des boulettes de viande épicée (*keftedes*) ou des bâtonnets de viande hachée frits et servis avec une sauce piquante aux oignons, tomates et poivrons (*souzoukakia*) ; quant au *pastitsio*, sorte de gratin de macaronis et viande hachée avec tomates, fromage et béchamel, il est la survivance manifeste de quatre cents ans d'occupation vénitienne.

Les fromages sont fabriqués à partir du lait de brebis ou de chèvre et caillés avec du jus de figues. Le *mizithra*, fromage de chèvre assez semblable à la ricotta, se mange frais ou sec ; le *staka*, lui, se tartine ; la *feta*, fromage de brebis, accompagne parfaitement une salade de melon ou de pastèque aromatisée à la menthe et fort bienvenue après la sieste. Quant aux yaourts, dont la consistance est proche de celle de la crème fraîche, ils entrent dans la confection des sauces ou se consomment nature, juste sucrés au miel. Ce n'est qu'à l'occasion d'une fête que le Crétois accueille sur sa table beignets au miel (*loukoumades*), ou à l'huile d'olive nappés d'un mélange à base de miel, cannelle, noix, sésame et girofle (*xaratigana*) ; à Pâques, ce sont les *kalitsounia*, des gâteaux confectionnés avec du fromage de brebis frais.

En cours de repas, le Crétois se désaltère d'eau et de vin rouge dont les tanins possèdent des propriétés antioxydantes. Quatre grands crus sont à noter : *archanes*, *peza*, *dafnes*, *sitia*.

Vient enfin le café qui sonne la fin du repas ; préparé à la turque, il se boit sans sucre (*sketo*), peu sucré (*metrio*) ou très sucré (*gliko*).

Des jeûnes plusieurs fois l'an

Plusieurs fois par an, les Crétois observent une trêve alimentaire : les quarante jours qui précèdent Noël, lors du Carême (avant Pâques), ainsi que du 1er au 15 août, fête de l'Assomption. Au cours de ces périodes de jeûne, ce sont essentiellement les aliments « à sang » qui sont évités : les viandes et les volailles sont remplacées par les œufs ; les poissons, par les escargots et les fruits de mer.

Les éléments protecteurs du régime crétois

Connaître mieux ce qui, dans leur alimentation, protège les Crétois devrait vous permettre d'en adapter les principes à votre propre mode de vie afin d'améliorer votre santé « en douceur ».

➤ LES FRUITS ET LES LÉGUMES

L'étude d'Ancel Keys a révélé que la consommation de légumes verts en Crète s'élève en moyenne à 200 grammes par jour et par personne, c'est-à-dire à peu près autant que dans les autres pays ; en revanche, la consommation en fruits y est nettement plus conséquente : en moyenne 460 grammes par jour et par personne, contre 230 aux États-Unis, 80 en Hollande ou 130 dans les autres pays méditerranéens. Au total, la consommation globale de fruits et de légumes est deux fois supérieure à celle des États-Unis, de la Hollande ou des autres pays méditerranéens. La richesse de leur alimentation en fruits et en légumes constitue l'une des principales causes de la protection des Crétois vis-à-vis des maladies cardio-vasculaires ou de certains cancers, et agit même, comme nous allons le voir, contre l'obésité et l'ostéoporose.

De nombreuses enquêtes épidémiologiques, indépendamment de celles concernant le régime crétois, ont révélé l'action des fruits et des légumes dans la prévention des cancers, en particulier celui du poumon et des bronches, de la bouche, de l'œsophage, de l'estomac, du colon et du rectum.

Cette protection passe par plusieurs nutriments :

• **La vitamine C** : elle a des vertus antioxydantes, lutte contre les radicaux libres et, de surcroît, régénère la vitamine E dans l'organisme.

• **Les caroténoïdes** : ils ont également des propriétés antioxydantes, en synergie avec la vitamine C.

[Les caroténoïdes, qui confèrent aux fruits et aux légumes une coloration rouge orangé, constituent une grande famille où chaque membre joue un rôle bien spécifique :
– le bêtacarotène est un précurseur de la vitamine A ; il favorise un bon renouvellement des cellules de la peau, de la bouche et du tube digestif ;
– le lycopène, essentiellement présent dans la tomate, a un effet préventif vis-à-vis du cancer de la prostate.]

• **Les polyphénols** : ils ont, comme la vitamine C et le bêtacarotène, des propriétés antioxydantes ; il semblerait aussi qu'ils puissent protéger les cellules saines contre divers toxiques, et même inhiber la croissance des cellules cancéreuses.

[Les polyphénols ne sont pas à proprement parler des vitamines puisque leur présence n'est pas indispensable à la vie ; ils sont plusieurs milliers, dont notamment les flavonoïdes, richement représentés dans les fruits et les légumes.]

• **Les fibres** : elles pourraient avoir un rôle protecteur spécifique vis-à-vis du cancer du colon, mais cette action n'est pas vérifiée par toutes les études, et sur ce point, les avis des chercheurs divergent.

Contre l'oxydation et le vieillissement

Toute cellule vivante s'altère progressivement en raison de processus dénommés « oxydation », avec formation de composés néfastes : les « radicaux libres ».

Au niveau du corps humain, l'oxydation accélère le vieillissement et favorise le développement de certaines maladies comme le cancer ou les maladies cardio-vasculaires.

La nourriture joue un rôle préventif par la présence de substances antioxydantes (elles luttent contre l'oxydation), notamment les vitamines C et E ainsi que les polyphénols et les caroténoïdes.

Le régime crétois est riche en ces divers éléments protecteurs.

Ces mêmes études montrent que les grands consommateurs de fruits et de légumes sont également moins touchés par les maladies cardio-vasculaires comme l'infarctus du myocarde, les accidents vasculaires cérébraux ou la mort subite par arrêt cardiaque.

La présence de plusieurs nutriments protecteurs explique cette relation :

• **Le potassium**, dont sont riches tous les fruits et les légumes ; c'est l'un des plus importants minéraux de notre alimentation, il réduit la tension artérielle ainsi que le risque d'accident vasculaire cérébral et d'hémiplégie.

• **Les fibres,** présentes dans tous les fruits et légumes ; elles aussi réduisent la tension artérielle et le risque d'accident vasculaire cérébral ; de plus, elles diminuent la glycémie et le cholestérol dans le sang, ce qui est favorable à la bonne santé des artères, en particulier pour les personnes souffrant de diabète ou d'hypercholestérolémie.

• **La vitamine C**, dont sont, entre autres, particulièrement riches les choux, le brocoli, l'oseille, le persil, l'ail, le fenouil, le poivron, le kiwi, des agrumes comme le citron et la clémentine ; par ses propriétés antioxydantes, elle protège non seulement contre le cancer, mais également contre les maladies cardio-vasculaires.

• **Les polyphénols**, particulièrement présents dans l'oignon, les laitues et autres salades, le persil ou la ciboulette, le raisin ; en consommer régulièrement semble réduire de moitié le risque d'infarctus.

• **Le magnésium**, dont sont notamment riches les légumes verts, les noix et noisettes, les raisins et figues séchés ; un apport important entraînerait deux fois moins de risques de souffrir d'une angine de poitrine et d'insuffisance coronaire.

• **Les acides gras oméga-3** (voir page 28), dont sont riches les noix et le pourpier, les poissons dits « gras » (voir page 53) et certaines huiles comme celle de colza ; ces graisses bien particulières protègent les artères et évitent qu'elles ne se bouchent.

Comme l'excès de cholestérol ou le diabète, l'excès de poids ou l'obésité – notamment lorsqu'ils touchent le ventre – augmentent les risques de survenue d'un infarctus ou d'un accident vasculaire cérébral, voire également ceux de certains cancers (de l'ovaire, de l'utérus et du sein chez la femme ; de la prostate et du colon chez l'homme).

Ce problème qui concerne aujourd'hui aussi bien l'Europe que les États-Unis peut s'expliquer par plusieurs raisons : l'inactivité physique, la déstructuration des repas, la diminution des glucides lents au profit des sucres rapides et la richesse en graisses de la nourriture.

Or, en dépit d'une alimentation traditionnellement grasse, les Crétois sont rarement gros. Un phénomène qui, là encore, est lié à la consommation importante de fruits et légumes.

Grâce à :

– leur richesse en fibres,

– leur faible concentration calorique,
– la mastication lente qu'ils demandent,
– le ralentissement de la digestion du reste du repas, qui cale ainsi l'appétit mieux et plus longtemps,
ces aliments ont une action régulatrice sur le poids.

Ils interviennent enfin, et de façon non négligeable, dans l'ossification, au même titre que l'activité physique, qui augmente la solidité des os, et le soleil, qui favorise la synthèse par la peau de la vitamine D protectrice du squelette. Les fruits et les légumes, eux, tendent à augmenter la qualité et la robustesse des os, d'où un moindre risque d'ostéoporose, de tassement vertébral et de fractures, en particulier pour les personnes âgées de 60 ans et plus.

La richesse du régime crétois en fruits et en légumes constitue donc l'une de ses principales forces. Si les Crétois en profitent pleinement, c'est qu'ils en font un bon usage. D'abord, leur alimentation se tourne essentiellement vers des fruits et des légumes frais et de qualité, cueillis à maturité, gorgés d'éléments nutritifs protecteurs, et dont la saveur naturelle est renforcée par l'huile d'olive et de nombreuses herbes aromatiques : cet aspect « gastronomique » est fondamental, car il est difficile de manger en quantités importantes des aliments peu savoureux ! Autre facteur déterminant, ils sont principalement consommés crus, ce qui préserve d'autant les vitamines, C ou B9 par exemple.

➤ L'HUILE D'OLIVE

L'alimentation des pays industrialisés est souvent très grasse, et l'on impute aux graisses alimentaires (ou lipides) de nombreuses maladies – pathologies cardio-vasculaires, cancers ou obésité. Bien qu'il soit en partie protecteur, le régime crétois est, lui aussi, gras : environ 40 % des calories proviennent des lipides et, dans l'étude de Keys, les Crétois s'avéraient être ceux qui ajoutaient le plus de matières grasses dans leur cuisine.

L'explication de ce paradoxe tient au choix de la matière grasse : les Crétois, comme dans le reste du pourtour méditerranéen, utilisent essentiellement de l'huile d'olive ; par ailleurs, les aliments qu'ils cuisinent sont intrinsèquement peu gras. Là réside toute la différence entre le mode alimentaire américain, caractérisé, certes, par un ajout modéré de graisses en cuisine ou à table (33 grammes par jour contre 95 grammes pour les Crétois, soit près de trois fois moins), mais avec, en contrepartie, des aliments intrinsèquement gras, soit de façon naturelle (viandes, laitages, etc.), soit après un processus industriel (chips, plats cuisinés, hamburgers, desserts, crèmes glacées, barres chocolatées, etc.). La qualité des lipides varie donc d'un régime à l'autre, impliquant parallèlement un effet plutôt favorable (le régime crétois, grâce à l'huile d'olive) ou plutôt néfaste (le régime américain).

Plusieurs études scientifiques ont trouvé que, dans les pays industrialisés, les personnes qui mangeaient le plus gras avaient plus de risques de cancers. Or, en Crète, le taux de mortalité par cancer (du colon, du sein ou de la prostate par exemple) est faible, environ un quart de moins que celui observé aux États-Unis ou même au Japon, pays par ailleurs réputé pour la bonne santé de ses habitants.

Une analyse plus fine montre que deux types de graisses surtout sont en cause dans la survenue des cancers :
– les graisses saturées, en particulier celles de la viande rouge (pour le cancer du colon),
– les graisses polyinsaturées, car leur fragilité donne facilement naissance à des dérivés toxiques dénommés radicaux libres (voir page 23).

Pour sa part, l'huile d'olive est surtout riche en acides gras mono-insaturés, qui ne semblent avoir, sur le plan du cancer, ni l'inconvénient des acides gras saturés, ni ceux des polyinsaturés. Le type de matières grasses consommées concourt à expliquer les différences d'un pays à l'autre, tant au niveau des décès par cancers que par maladies cardio-vasculaires. L'enquête de Keys est, là encore, significative : de toutes les populations étudiées, les Crétois et les Finlandais étaient ceux qui mangeaient le plus gras. Mais le taux de mortalité par crise cardiaque enregistré en Crète s'avérait trente fois moins élevé qu'en Finlande !

Pour bien comprendre, il importe de savoir que les lipides, c'est-à-dire les graisses, sont constitués d'acides gras qui ne sont pas tous équivalents. Schématiquement, on distingue :

– les acides gras saturés,
– les acides gras mono-insaturés,
– les acides gras polyinsaturés de la famille oméga-6,
– les acides gras polyinsaturés de la famille oméga-3.

Les acides gras saturés et les oméga-6 sont néfastes lorsqu'ils sont consommés en excès ; les oméga-3 et les mono-insaturés ont intérêt à être privilégiés.

Les effets des acides gras sur le cœur et les artères

• **Les acides gras saturés** sont principalement issus des aliments d'origine animale — beurre, crème, fromages, œufs, viandes grasses — ; ils ont deux inconvénients sur le plan vasculaire :
– ils augmentent le cholestérol sanguin, certes le bon (cholestérol HDL, qui protège les artères), mais également le mauvais (cholestérol LDL, dont l'excès tend à entraîner l'obstruction des artères) ;
– ils accélèrent la coagulation des plaquettes, c'est-à-dire la formation de caillots (thrombose) à l'origine des infarctus.

• **Les acides gras polyinsaturés de la famille oméga-6** (dont l'acide linoléique fait partie) sont principalement présents dans

certaines huiles comme celles de tournesol, de soja, de maïs, de pépins de raisin, ainsi que dans les mélanges d'huiles ; ils ont l'avantage de diminuer le mauvais cholestérol (LDL), mais ont trois inconvénients en cas de consommation excessive :
– ils diminuent également le bon cholestérol HDL, vasculo-protecteur ;
– paradoxalement, ils augmentent le risque de thrombose au niveau des artères ;
– ils gênent, par leur présence excessive, l'action des acides gras polyinsaturés de la famille oméga-3.

• **Les acides gras mono-insaturés** sont surtout présents dans l'huile de colza, d'arachide et... d'olive ; ils ont surtout des avantages :
– ils diminuent le cholestérol total tout en augmentant le bon cholestérol (HDL) ;
– ils ne favorisent pas la formation de caillots dans le sang et donc n'augmentent pas le risque de thrombose au niveau des artères ;
– ils ne semblent pas avoir d'effet promoteur vis-à-vis du cancer ;
– ils sont moins fragiles que les acides gras des familles polyinsaturées et donc moins susceptibles que les acides gras oméga-6 de se transformer en radicaux libres toxiques.

• **Les acides gras polyinsaturés de la famille oméga-3** (dont l'acide alpha-linolénique fait partie) sont présents essentiellement dans les poissons gras, les noix et noisettes, le pourpier et les huiles de colza, soja et noix ; ils sont particulièrement intéressants :
– ils diminuent le mauvais et non le bon cholestérol ;
– ils ont le grand avantage de diminuer aussi l'agrégation des plaquettes, c'est-à-dire la formation de caillots dans le sang, et réduisent donc le risque de thrombose et d'accident cardiaque ;
– ils auraient, consommés en quantités raisonnables, un rôle préventif vis-à-vis du cancer.

Les Crétois privilégiant l'huile d'olive, les acides gras apportés sont donc majoritairement mono-insaturés, ce qui, ajouté à la richesse de leur alimentation en fruits et en légumes, explique en grande partie la protection cardiaque dont ils bénéficient, une protection accentuée de surcroît par la présence d'acides gras oméga-3 fournis par les escargots, le pourpier, les noix et le poisson.

L'huile d'olive a par ailleurs l'avantage d'être riche en éléments antioxydants protecteurs tels que la vitamine E et certains polyphénols (voir page 22), dont sont particulièrement riches les huiles vierges.

L'intérêt de l'huile d'olive vis-à-vis du cancer ou des maladies cardio-vasculaires ne doit pas faire oublier que celle-ci, comme toute matière grasse, favorise prise de poids et obésité lorsqu'elle est consommée en excès. Il y a eu sur ce point un curieux revirement d'opinion. Voilà encore quinze ans, l'huile de tournesol était à la mode, et il était de bon ton de décrier l'huile d'olive considérée comme « lourde » ; l'idée (reçue) que la première faisait maigrir et la seconde grossir circulait largement. Depuis quatre-cinq ans, la vogue du régime méditerranéen aidant, c'est l'inverse qui se produit : nombreuses sont les personnes persuadées que l'huile d'olive fait maigrir, ce qui est tout aussi faux... En fait, toutes les huiles ont le même impact sur le poids, toutes apportent une quantité importante de calories. Quant aux Crétois, s'ils sont rarement obèses, c'est que leur consommation importante d'huile d'olive est compensée par leur activité physique et par une alimentation riche en fruits et en légumes.

➤ LE PAIN, LES LÉGUMES SECS ET LES FÉCULENTS

Le mot « féculent » n'a pas la même signification pour un botaniste et un nutritionniste. Pour le premier, un féculent correspond à un tubercule ou une racine (la pomme de terre ou le manioc par exemple), dont on extrait une fine poudre blanche, la fécule ; ainsi, le tapioca est-il la fécule du manioc. Pour le nutritionniste, le terme « féculent » rassemble des aliments d'origine végétale, riches en glucides lents et en protéines ; c'est ce sens qui sera utilisé dans ce livre.

Les féculents regroupent :
– les céréales ou aliments d'origine céréalières : riz, semoule, blé (entier ou concassé), pâtes, farine et pain ;
– les légumes secs et assimilés : lentilles, petits pois, pois chiches, pois cassés, flageolets, haricots blancs, haricots rouges, fèves ;
– le soja ;
– les pommes de terre et le manioc (sous forme de tapioca).

Dans l'étude de Keys, il apparaissait que les Crétois étaient de grands mangeurs de pain (il s'agit de pain « sec », c'est-à-dire cuit deux fois) et de légumes secs : environ 400 grammes de pain (l'équivalent d'une baguette et demie) et 30 grammes de légumes secs par jour. C'était nettement plus qu'en Hollande ou aux États-Unis, pays à fort taux d'infarctus du myocarde. Ainsi, les Américains et les Hollandais mangeaient respectivement dix et vingt fois moins de légumes secs !

Parmi les féculents, ce sont surtout les légumes secs et les aliments céréaliers d'origine complète (pâtes ou riz complets, pain complet, pain de seigle, pain aux céréales, etc.) qui sont susceptibles de participer à l'aspect préventif vis-à-vis des cancers. Les légumes secs sont une source importante de folates (vitamine B9) et de polyphénols, comme le sont également les légumes verts ; or, les folates comme les polyphénols combattent la prolifération des cellules cancéreuses. De plus, les légumes secs ainsi que les aliments complets d'origine céréalière sont riches en phytates, qui auraient un rôle protecteur vis-à-vis du cancer du colon.

L'action des légumes secs et des aliments complets d'origine céréalière est également bénéfique contre les maladies cardio-vasculaires et le diabète, grâce à divers mécanismes :

• **La richesse en fibres** : celles-ci diminuent la tension artérielle et abaissent le mauvais cholestérol (LDL) ; ainsi, les grands consommateurs d'aliments riches en fibres auraient un risque de maladies cardiaques abaissé d'environ 40 % ; de plus, elles pourraient réduire le risque de survenue d'un diabète.

• **La présence de protéines végétales** : celles-ci ont, elles aussi, la propriété de réduire légèrement la tension artérielle ; de plus, elles agissent sur l'homocystéine, une substance fabriquée par le corps humain et qui s'avère dangereuse pour le cœur et les artères lorsqu'elle est en concentration élevée dans le sang : or, si l'homocystéine est augmentée par les protéines d'origine animale (présentes dans les viandes, poissons ou produits laitiers),

Glucides lents ou rapides ?

Les glucides rapides sont notamment présents dans le sucre de table, les confiseries, les sodas, dans les aliments trop raffinés (par exemple, le pain blanc) ou trop « travaillés » par l'industrie agroalimentaire (par exemple, de nombreuses céréales du petit déjeuner).

Les glucides lents sont présents dans la plupart des fruits, les légumes secs, les pâtes, le riz, la semoule, le blé concassé (boulghour) ainsi que dans certains pains spéciaux (complet, aux céréales, de seigle, intégral), notamment lorsque la farine est relativement peu moulue. Quant aux pommes de terre, elles peuvent relever des premiers ou des seconds, tout dépend du mode de préparation : mixées en purée, elles procurent à l'organisme des glucides rapides ; cuites avec la peau puis consommées entières, notamment après une cuisson au four, elles fournissent des sucres lents.

elle est diminuée par les protéines végétales des légumes secs ou des aliments d'origine céréalière ainsi que par les vitamines B6 et B9 (présentes surtout dans les légumes secs et les farines céréalières complètes).

• **L'apport en magnésium** : celui-ci est un probable élément protecteur pour le cœur et les artères.

• **La présence de glucides lents** : ces sucres sont assimilés lentement par l'organisme entraînant une montée progressive de la glycémie et de l'insuline dans le sang ; cette « lenteur » est associée à un faible risque de maladies cardio-vasculaires et de diabète, à la différence d'un excès de glucides rapides.

La richesse de leur nourriture en féculents — surtout en légumes secs et en produits d'origine céréalière — contribue à la bonne santé des Crétois.

➤ LE POISSON

Traditionnellement, les Crétois mangent du poisson quatre fois par semaine, notamment de la sardine et du maquereau, dont les acides gras oméga-3 ont un effet protecteur :
– vis-à-vis du cœur et des artères, car ils diminuent les triglycérides sanguins (graisses dont l'effet est néfaste) ainsi que l'agrégation des plaquettes (à l'origine des caillots qui obstruent les artères) ;
– vis-à-vis du cancer, car ils inhiberaient, comme l'évoquent certains résultats en recherche expérimentale, la prolifération des cellules cancéreuses.

Cet apport bénéfique du poisson dans le régime crétois est également confirmé par le mode de vie d'un autre peuple, bien différent : les Esquimaux, grands consommateurs de poissons des mers froides (hareng, saumon) eux aussi riches en oméga-3, bénéficient d'une protection cardio-vasculaire équivalente.

➤ LA VIANDE

L'étude de Keys a révélé que la consommation de viande par jour et par personne était, en Crète, de… 35 grammes – ce qui équivaut à un bifteck moyen deux fois par semaine – pour 138 grammes (soit quatre fois plus) en Hollande et 273 grammes (soit huit fois plus) aux États-Unis. Il n'en fallait pas plus à certains pour incriminer la viande dans l'augmentation de la mortalité aux États-Unis ou en Europe du Nord par opposition aux pays méditerranéens ou à la Crète. La réalité est plus complexe.

D'après certaines recherches scientifiques, une consommation élevée de viande rouge (bœuf notamment, mais aussi porc et mouton) augmenterait les risques du cancer du colon (le plus fréquent en France), tandis que celle de poisson ou de volaille les réduirait. Par ailleurs, la viande serait susceptible de favoriser le cancer de la prostate ou du sein. Mais les mécanismes présidant à ces relations sont encore parfaitement inconnus. En fait, ce seraient plutôt la préparation et l'accompagnement de la viande qui seraient responsables :

– une cuisson trop forte, au gril ou en friture, conduit à la formation de particules (amines) cancérigènes ; mieux vaut donc éviter les viandes à l'aspect trop grillé ou carbonisé ;

– les gros adeptes de viande mangent généralement peu de fruits et légumes ; la relation entre viande et cancer serait surtout due à une absence... celle des légumes ;

– les grands amateurs de viande consomment généralement des rations trop copieuses par rapport à leurs besoins ; plus que la viande elle-même, ce serait alors l'excès global de nourriture qui serait en cause.

On a également imputé à la viande, tout du moins consommée en excès, les pathologies cardio-vasculaires et l'infarctus du myocarde. Effectivement, les viandes grasses favorisent l'athérosclérose, car elles contiennent de nombreux acides gras saturés, qui augmentent le cholestérol, l'agrégation plaquettaire et peut-être la tension artérielle. Par ailleurs, les protéines de la viande sont riches en méthionine, qui se transforme dans l'organisme en homocystéine ; or, lorsque cette dernière est en excès dans le corps, elle augmente le risque d'accident cardiaque. C'est donc la nature même des protéines qui semble avoir un effet nocif. Enfin, certains chercheurs évoquent la teneur en fer qui, lorsqu'elle est trop forte, favorise la formation de particules oxydées agressives pour les artères.

Cette évocation de conséquences néfastes doit néanmoins être relativisée. En effet, la plupart des études parvenant à de telles conclusions ont été réalisées aux États-Unis, où la viande rouge est généralement plus grasse ; par ailleurs, plus que la surconsommation de viande, c'est la trop faible consommation de fruits et de légumes, souvent associée, qui semble néfaste. Ces deux données expliqueraient pourquoi, bien qu'étant de grands consommateurs de viande, les Français sont peu touchés par les maladies cardio-vasculaires.

Plutôt que de bannir la viande de l'alimentation, il est donc préférable d'en réduire les portions. Les végétariens qui excluent tous les aliments d'origine animale ont une espérance de vie plus courte que ceux qui en mangent en petites quantités. De même, tout en accordant une large place aux fruits, légumes et aliments céréaliers complets, les Crétois mangent de l'agneau et une volaille une fois par semaine ou agrémentent souvent le plat de légumes de petits morceaux de viande.

Car la viande, en quantités modérées, apporte plusieurs éléments nutritifs dont l'organisme profite pleinement :

• **Des protéines de bonne qualité,** importantes pour le renouvellement des cellules des muscles et des organes et pour la lutte contre l'ostéoporose (un apport protéique convenable étant fondamental chez l'enfant, la personne âgée et le sportif).

• **Du zinc et du sélénium**, deux oligoéléments qui participent à la prévention des phénomènes d'oxydation et donc à la protection contre les maladies cardio-vasculaires et les cancers.

• **Du fer**, dont il faut, comme pour le zinc et le sélénium, se garder de tout excès mais aussi des carences, car il a un rôle préventif dans les maladies et infections ; un déficit en fer entraîne fatigue, anémie et réduction des capacités intellectuelles.

• **De la vitamine B12**, absente des produits d'origine végétale, et indispensable aux cellules nerveuses ainsi qu'à la protection des artères : avec la vitamine B6 et les folates (vitamine B9), elle lutte contre l'excès d'homocystéine.

• **Certaines viandes** contiennent même des acides gras de la famille oméga-3 : bovins nourris à l'herbage, mais non pas aux céréales, et surtout viande d'agneau, qui, traditionnellement, prédomine en Crète. Sa teneur en oméga-3 n'est peut-être donc pas étrangère non plus à la protection dont bénéficient les habitants de l'île.

On peut conclure de ces éléments parfois contradictoires que, comme ailleurs, l'équilibre et la santé se trouvent dans la mesure. L'excès de viande, rouge et grasse en particulier, est néfaste, notamment lorsque le régime est de surcroît pauvre en fruits et légumes. Mais la viande apporte des éléments nutritifs de haute valeur pour l'organisme qui rendent sa consommation souhaitable lorsqu'elle est modérée et associée à une nourriture riche en végétaux.

➤ LES PRODUITS LAITIERS

Le rôle du calcium dans l'ossification et autres phénomènes biochimiques (contraction musculaire, coagulation, etc.) est bien connu, d'où l'intérêt de la consommation des produits laitiers qui constituent la meilleure source de calcium, en particulier au cours de l'enfance et de l'adolescence.

Les Crétois consomment nettement moins de lait que les populations d'Europe du Nord ou des États-Unis, mais apprécient fromages et laits fermentés tels les yaourts. Des choix dont les conséquences, là encore, seraient bénéfiques :

– les fromages et les laits fermentés crétois sont dépourvus de lactose (sucre naturel du lait) — dans le cas du fromage, celui-ci disparaît au cours du lavage ; dans le cas du yaourt, il subit une transformation en acide lactique — ; cette absence de lactose réduit la sensation de ballonnements intestinaux que l'on ressent parfois après avoir bu du lait et, par ailleurs, pourrait s'avérer bénéfique au plan cardio-vasculaire ;

– le calcium, présent dans les fromages comme dans les laits fermentés, intervient dans la régulation de la tension artérielle et dans la protection vis-à-vis du cancer du colon ou du rectum ;

– les ferments lactiques des yaourts réduisent le mauvais cholestérol (LDL) ; ils modulent aussi l'activité enzymatique des bactéries naturelles de l'intestin dans un sens protecteur vis-à-vis du cancer du colon ou du sein ;

– les fromages contiennent un acide gras très particulier, l'acide linoléique diène-conjugué, qui aurait un rôle anticancéreux.

Ainsi, les fromages ou laits fermentés participent également à la bonne santé des Crétois, d'autant que ceux-ci les apprécient généralement associés à d'autres aliments protecteurs : salades variées, plantes aromatiques ou fruits.

➤ LE VIN ROUGE

Tout comme il intervient dans le « paradoxe français », le vin rouge (et ceci est valable pour tous les types de vins rouges) participe lui aussi aux effets bénéfiques du régime crétois.

La consommation quotidienne de 2-3 verres de vin est associée à une réduction de la mortalité cardio-vasculaire (infarctus du myocarde, artérite, accident vasculaire cérébral) d'environ 35 %. Quatre mécanismes expliquent ce phénomène ; le premier concerne toutes les boissons alcoolisées, les trois autres sont plus spécifiques au vin rouge :
– augmentation du bon cholestérol, vasculoprotecteur ;
– diminution du risque de formation de caillot dans les artères — cette réduction, et donc la protection vis-à-vis de l'infarctus qui en découle, perdure presque 24 heures — ; cette propriété, liée à la teneur du vin en polyphénols, est partagée par le jus de raisin mais non par les alcools forts ou le vin blanc ;
– effet protecteur vis-à-vis du processus toxique de l'oxydation ;
– « relaxation » des petites artères, et donc diminution de la tension artérielle.

Cette même consommation quotidienne de vin paraît aussi réduire le risque global de cancer d'environ 20 %. Mais attention, ce bénéfice concerne surtout les hommes ; pour les femmes, l'alcool élève le risque de cancer du sein : de 9 % pour 10 grammes d'alcool par jour (soit 1 verre de vin) à 41 % pour 30 grammes (soit 3 verres).

Enfin, la consommation modérée de vin est associée à une réduction du risque de maladie d'Alzeihmer et de démence sénile, une relation suggérée par les recherches scientifiques (est-ce vraiment un hasard ?) de l'université de... Bordeaux. Mais d'autres travaux scientifiques devront confirmer ces résultats avant que le vin rouge ne soit réellement considéré comme un médicament de prévention vis-à-vis des altérations intellectuelles liées au grand âge.

La consommation régulière de vin rouge a donc globalement un effet favorable sur la santé à condition, bien sûr, de ne pas « dépasser les doses prescrites » : 2 verres quotidiens pour la femme, 3 pour l'homme ; au-delà, les effets de l'alcool s'inversent et les risques de toxicité deviennent rapidement dominants, tant au niveau du cœur et des artères (hypertension artérielle, insuffisance cardiaque, etc.) que du cancer (notamment celui de la gorge et du foie) ou du cerveau.

Vices et vertus

Les bienfaits sur la santé dispensés par une consommation régulière et modérée ne sauraient faire oublier que le vin rouge, comme tout autre alcool, devient rapidement un « poison ».

La consommation excessive d'alcool en France est ainsi à l'origine de difficultés médicales, psychologiques ou sociofamiliales chez 5 millions de personnes ; elle est responsable de 40 000 décès, d'un tiers des accidents de la route, de 80 % des bagarres, des rixes ou des violences familiales, et de 15 % des accidents du travail.

Le régime crétois... et les Français

Le régime crétois traditionnel a fait les preuves de ses avantages pour la santé. Et même si nous, Français, nous mangeons de façon globalement saine, le régime crétois peut améliorer encore notre forme et notre santé. Voyons comment.

➤ LE PARADOXE FRANÇAIS

Pour un spécialiste de la nutrition, la France occupe une place à part dans le paysage européen : d'une part, en raison de sa diversité gastronomique ; d'autre part, parce qu'en dépit d'une alimentation plutôt grasse et d'un taux moyen de cholestérol sanguin plutôt élevé, la population française dans son ensemble affiche le taux le plus bas de maladies cardio-vasculaires en Europe — c'est le fameux « paradoxe français », mis en évidence par Serge Renaud dans les années 90. Les Français sont ainsi un tiers de moins touchés que les Italiens ou les Grecs et quatre fois moins que les Finlandais ! La même protection s'observe vis-à-vis des maladies cérébro-vasculaires comme l'hémiplégie ou les attaques cérébrales. Les chiffres sont également parlants au niveau mondial, puisque les Françaises ont le taux le plus bas de maladies cardio-vasculaires tandis que leurs compatriotes de sexe masculin sont deuxièmes, juste après le Japon.

Mieux, la protection dont bénéficient les Français dépasse les seules maladies cardio-vasculaires. Les femmes françaises ont le taux de mortalité global le plus bas d'Europe (300 pour 100 000 habitants et par an) ; chez les hommes, ce taux, bien que deux fois plus élevé (611 pour 100 000 habitants), est lui aussi le plus bas par rapport aux autres pays européens.

Il convient toujours de se méfier des valeurs reflétant l'état de santé d'une nation à un moment donné, c'est également l'évolution qu'il importe d'observer. Or, là aussi les chiffres sont rassurants : du début des années 80 au milieu des années 90, le taux de mortalité total a diminué en France de 20 % chez les hommes et de 24 % chez les femmes, avec une baisse plus marquée des maladies cardio-vasculaires que des cancers : depuis dix ans, la mortalité par infarctus du myocarde se réduit de 2,5 % par an, une évolution due non seulement au progrès faits dans les traitements eux-mêmes, mais également à l'amélioration des conditions de vie. Cette évolution n'est d'ailleurs pas spécifique à la France, elle s'observe dans l'ensemble des pays de l'Europe de l'Ouest, du nord au sud, tandis que la mortalité a plutôt tendance à augmenter dans les pays de l'Est européen.

➤ LA FRANCE, UN PAYS OÙ L'ON MANGE BIEN, MAIS...

La France est probablement l'un des pays où l'alimentation est la plus variée, en particulier en fruits et légumes. Cette variété est source d'équilibre et de santé, puisque ses habitants bénéficient de la complémentarité et de la synergie de nombreux nutriments protecteurs. Cette diversité, associée à une forte consommation de fruits et de légumes, explique plusieurs paradoxes :

– Les Toulousains mangent plus de viande qu'à Belfast, mais ils sont quatre fois moins touchés par l'infarctus du myocarde que les Irlandais : l'une des raisons principales est sans doute qu'ils consomment deux fois plus de fruits et de légumes.

– Comparé aux Italiens, les Français mangent plus de viande et moins d'aliments d'origine céréalière, ils consomment moins d'huile d'olive et plus de beurre ou de crème ; or, ils sont moins touchés par les maladies cardio-vasculaires. Là aussi, l'une des raisons pourrait être la consommation de fruits et de légumes plus importante : en France, elle représente 12 % de l'apport calorique total contre 8 % en Italie du Nord et 9 % en Italie du Sud.

Tout se passe donc comme si, dans l'Hexagone, la diversité globale de l'alimentation, et particulièrement celle en fruits et en légumes, compensait des repas par ailleurs riches en viandes et en graisses d'origine animale.

À côté de cette diversité, une autre attitude des Français vis-à-vis de l'alimentation est rassurante : le respect des traditions.

Une étude récente menée par le CREDOC montre que, dans leur très grande majorité, les Français restent profondément attachés à la convivialité du dîner, y consacrant en moyenne 33 minutes en semaine et 43 minutes le week-end. Ce repas reste un moment privilégié pour se retrouver ensemble, pour dialoguer. De nombreux sociologues s'inquiétaient du risque d'américanisation de nos coutumes alimentaires, mais de tels sondages devraient les rassurer, d'autant que les jeunes générations paraissent, également d'après cette étude, soucieuses de la qualité du repas familial.

Les Français mangent de façon variée, restent attachés aux repas traditionnels et sont 74 % à considérer que l'alimentation est le

Le Sud-Ouest, une région où il fait bon vivre

C'est dans le Sud-Ouest, où la mortalité cardio-vasculaire est l'une des plus faibles de France, que les personnes restent le plus longtemps à table : 42 minutes en moyenne !

C'est également dans le Sud-Ouest que l'on consomme le plus d'aliments « longs à manger », tels que les volailles, les légumes et les fruits. Cette convivialité et cette diversité expliquent la longévité des habitants du Sud-Ouest plus que la consommation d'aliments « anecdotiques » comme la graisse de canard, simple épiphénomène.

facteur qui a le plus d'influence sur la santé ! Ils sont donc ouverts à toutes propositions visant à améliorer encore leur façon de manger, si tant est que celles-ci restent compatibles avec leurs goûts et leurs coutumes.

Car si la situation est globalement bonne en France, elle est également très différente d'une région à une autre. Ce qui se traduit, certes, par une grande richesse gastronomique, mais aussi par des inégalités devant la maladie : la mortalité par pathologies cardio-vasculaires est ainsi beaucoup plus basse dans le Sud-Ouest que dans l'Est ou le Nord. Or, comme l'a démontré l'étude de Lyon (voir page 14), il est possible de proposer des changements simples et bien vécus dans la nourriture pour réduire le risque de maladies cardio-vasculaires.

Par ailleurs, le cancer reste toujours la première cause de mortalité chez l'homme comme chez la femme entre 40 et 70 ans. Or, d'après les chercheurs en cancérologie, près d'un tiers des cancers pourraient être évités avec une alimentation plus optimale. De par sa composition, le régime crétois semble être à même de réduire le risque de cancers imputables à une alimentation déséquilibrée.

➤ POUR MIEUX MANGER ENCORE

Pas question donc de vous conseiller de bouleverser vos habitudes alimentaires. Voyons plutôt comment optimiser votre nourriture par le régime crétois grâce à certains éléments à la fois simples, savoureux et bénéfiques pour la santé.

• Des matières grasses à bien choisir

Les matières grasses sont principalement représentées par les huiles, le beurre, la crème, la margarine et la mayonnaise ; elles peuvent être d'origine animale ou végétale ; selon les acides gras qu'elles contiennent (voir page 27), elles ont des effets plus ou moins bons sur la santé, et plus particulièrement sur le cholestérol et les artères, comme le rappelle le tableau ci-dessous.

Effets potentiels des acides gras sur le cholestérol, la thrombose et le cancer

	Nature des acides gras			
	SATURÉS	MONO-INSATURÉS	OMÉGA-6	OMÉGA-3
Mauvais cholestérol (LDL)	↗	↘	↘	↘
Bon cholestérol (HDL)	→	→	↘	→
Risque de caillots dans les artères (thrombose)	↗ (1)	→	↗ (1)	↘
Processus de cancérogenèse	↗	→	↗ (1)	↘ (2)

(1) Le risque existe pour des consommations excessives, mais non pour des consommations raisonnables telles que celles habituelles en France.

(2) Cet effet potentiel préventif vis-à-vis du cancer demande encore des études scientifiques complémentaires pour être précisé.

D'après les chercheurs, les acides gras mono-insaturés devraient être majoritaires dans notre alimentation, comme ce fut le cas pendant des siècles voire des millénaires, tandis que les acides gras saturés ne devraient pas dépasser 25 % du total. Par ailleurs, le rapport entre les quantités d'acides gras oméga-6 et oméga-3 devrait être proche de 4 à 5, alors qu'il est aujourd'hui souvent supérieur à 10.
Voyons comment traduire ces chiffres à l'allure ésotérique en conseils pratiques grâce au tableau ci-dessous qui vous permet de voir les apports en acides gras des principales matières grasses disponibles.

Pourcentage en acides gras des huiles, beurre et margarine

	SATURÉS	MONO-INSATURÉS	OMÉGA-6	OMÉGA-3	OMÉGA-6 / OMÉGA-3
Huile d'olive	14,5	71	10	–	–
Huile de colza	6,2	64,3	23	10	2,3
Huile d'arachide	19,8	45,2	20	–	–
Huile de soja	14,1	20,5	53	7	7,6
Huile de noix	9,3	17,1	58	12	4,8
Huile de tournesol	11,6	22,5	68	0,5	136
Huile de maïs	12,3	26,1	55	2	27,5
Huile de pépins de raisin	12,2	15,6	70	0,5	140
Huiles combinées	11,5	39,2	45,8	1,2	38,2
Beurre	52,6	23,5	2	1	2
Margarine au tournesol	11,5	24,5	63,9	0,1	639

Le régime crétois approche l'équilibre optimal : beaucoup d'acides gras mono-insaturés (dans l'huile d'olive), une quantité raisonnable d'oméga-6 (en petite part dans l'huile d'olive) et de saturés (viandes et produits laitiers), sans oublier un apport conséquent en oméga-3, issus du pourpier, des poissons, des escargots, des noix et des amandes. Si vous souhaitez vous aussi atteindre cet équilibre optimal, vous avez intérêt à privilégier les huiles d'olive, d'arachide ou de colza, car toutes trois sont riches en acides gras mono-insaturés, pauvres en saturés et apportant des oméga-6 en quantité raisonnable, ni trop, ni trop peu. Mais où trouver les oméga-3 ? Une première solution : vous pouvez faire comme les Crétois, c'est-à-dire manger du pourpier, des poissons gras (maquereaux, sardines, etc.), des escargots et des desserts à base d'amandes ou de noix... Vous pouvez également choisir une huile riche en oméga-3 : c'est le cas des huiles de noix, de soja et de colza (à utiliser en assaisonnement ou pour des cuissons à feu doux, mais non pour des fritures). Cette dernière est la plus intéressante, car c'est la seule à être riche en acides gras mono-insaturés et en acides gras oméga-3.

Choisir son huile

Si vous aimez les huiles qui ont peu de saveur, prenez de l'huile de colza et, pour la cuisson, de l'huile d'arachide.

Si vous préférez l'huile d'olive, plus forte en goût (et riche en polyphénols), n'hésitez pas à l'associer dans vos salades à l'huile de colza (pour les oméga-3) ; toutes les deux vous apportent par ailleurs des acides gras mono-insaturés en quantités optimales. Quant à l'huile de noix, elle a le double intérêt d'être riche en oméga-3 et pleine de saveur.

Enfin, limitez les aliments transformés par l'industrie agroalimentaire (plats cuisinés, biscuits, chocolat, etc.) ; ils sont souvent à base de matières grasses riches en acides gras saturés.

• Des fruits et des légumes : en grandes quantités

Une donnée majeure dans la protection liée au régime crétois et qui se retrouve également dans le « paradoxe français » tient à la place occupée par les fruits et les légumes. Ceux-ci contiennent de nombreux éléments protecteurs (voir page 22).

Les tableaux qui suivent vous en proposent une synthèse.

Richesse des fruits en éléments protecteurs pour la santé

FRUITS	VITAMINE B9	VITAMINE C	CAROTÈNE	FLAVONOÏDES
Abricot			++	+
Ananas		++		
Avocat	+	+		
Banane		+		
Banane plantain		++		
Cassis		+++		+
Cerise	+	+		+
Châtaigne	++	++		
Citron		+++		
Clémentine		+++		
Coing		+		
Datte fraîche	+	+		
Figue de Barbarie		++		
Fraise	++	+++		

FRUITS	VITAMINE B9	VITAMINE C	CAROTÈNE	FLAVONOÏDES
Framboise	+	++		+
Fruit de la Passion		++		
Goyave		+++		
Grenade		++		
Groseille		++		+
Kaki			++	
Kiwi	+	+++		
Mangue	+	+++	++	
Melon	++	++	++	
Mûre		++		+
Myrtille		++		+
Orange	+	+++		+
Papaye	+	+++	+	
Pastèque		+		
Pomélo		++		+
Pomme				+
Raisin noir				+

+++ Très riche.
++ Riche.
+ En quantité intéressante.
Les flavonoïdes constituent l'une des principales classes des polyphénols (voir page 22).

Richesse des légumes en éléments protecteurs pour la santé

LÉGUMES	VITAMINE B9	VITAMINE C	CAROTÈNE	FLAVONOÏDES
Ail		++		
Artichaut	+	+		
Asperge	++	++		
Betterave	++	+		
Brocoli	++	+++	+	+
Carotte	+	+	+++	
Céleri-rave	+	+		+
Chou de Bruxelles	++	+++		+
Chou-fleur	+	+++		
Chou frisé				++
Chou rouge	+	+++		
Chou vert	++	+++	+++	
Ciboulette				++
Concombre		+		
Cornichon			+	
Courgette	+	++		
Crambe (chou marin)	++	++		
Cresson	+++	+++	++	
Endive	+			+
Épinard	+++	+++	+++	
Fenouil	++	+++	+++	
Fève		++		

LÉGUMES	VITAMINE B9	VITAMINE C	CAROTÈNE	FLAVONOÏDES
Haricot blanc / rouge	+			
Haricot vert	++	++		+
Laitue et autres salades vertes	++	+		++
Maïs doux	+	+		
Navet		++		
Oignon				++
Oseille	+++	+++	+++	
Pâtisson		++		
Persil	+++	+++	+++	++
Petits pois	+	+		
Pissenlit	+++	++	+++	
Poireau	++	++	++	+
Poivron		+++	+	
Potiron			++	
Pourpier		++	+	
Radis	+	++		
Rhubarbe				
Rutabaga		++	+	
Tomate		++	+	
Topinambour				

+++ Très riche
++ Riche
+ En quantité intéressante

Les flavonoïdes constituent l'une des principales classes des polyphénols (voir page 22).

Si vous ne le faites déjà, il serait souhaitable de manger au moins un légume à chacun des deux principaux repas (déjeuner et dîner), que ce soit en entrée (crudité ou potage) et/ou en accompagnement du plat principal. Les légumes peuvent être cuits ou crus, sachant néanmoins qu'il vaut mieux consommer au moins une fois tous les deux jours un légume cru (crudité ou salade verte) car certaines vitamines, C ou B9 par exemple, sont en partie détruites par la chaleur. Ne dédaignez pas pour autant les légumes cuits, qui sont souvent plus savoureux et permettent de varier les présentations et les goûts des plats ; de plus, le cuit peut également avoir des bienfaits : ainsi, la tomate cuite libère plus facilement dans l'organisme sa substance protectrice, le lycopène.

Préservez les vitamines et les minéraux des aliments

Certains modes de préparation conservent mieux vitamines et éléments protecteurs. Voici brièvement résumé comment les utiliser au mieux.

– Consommez vos aliments dans les 48 heures qui suivent leur achat.
– Protégez-les de la chaleur, de la lumière, de l'humidité et de l'air (placez les légumes dans une cave ou dans le bac à légumes du réfrigérateur).
– Ne les laissez pas tremper, mais lavez-les rapidement sous l'eau courante.
– Limitez l'eau et le temps de cuisson.
– Ne restockez pas les aliments après préparation culinaire.
– Consommez si possible la peau des fruits et des légumes… mais n'oubliez pas au préalable de les laver soigneusement !

Quant aux fruits, adoptez-les en fonction des saisons, en en mangeant chaque jour au moins deux, voire trois si possible. Ils font un très bon dessert, mais peuvent également être consommés en dehors des repas, c'est à vous de choisir.

Enfin, de manière plus générale et pour un équilibre optimal, pensez à varier fruits et légumes de façon à bénéficier de l'ensemble des éléments protecteurs (voir pages 22 à 25).

• Céréales, pain et féculents : à ne pas oublier

À chaque repas, votre table peut accueillir pain, légumes secs et aliments d'origine céréalière (voir page 29) : ils fournissent des protéines végétales et des glucides lents indispensables aux muscles, aux organes et au cerveau. Les légumes secs, le pain et le riz complets, le blé concassé (boulghour ou pilpil), les flocons d'avoine sont, de plus, riches en nutriments protecteurs comme le magnésium ou la vitamine B9.

Ne les opposez pas aux légumes, dont ils sont plutôt complémentaires, mais présentez-les ensemble comme accompagnement du plat principal. Et remplacez les féculents, lorsque vous n'en avez pas prévu dans votre plat, par du pain.

• Viandes, volailles, poissons et œufs : mode d'emploi

Les régimes riches en viande sont surtout nocifs lorsque l'alimentation est par ailleurs pauvre en fruits et en légumes. Aussi, ne vous sentez pas obligé de vous limiter, comme les Crétois, à deux ou trois plats de viande ou volaille par semaine, mais sachez modérer les quantités (100 grammes constituent déjà une belle portion !)... et surtout n'oubliez pas, parallèlement, de faire la part belle aux féculents et légumes.

Privilégiez les viandes ou volailles peu grasses, en sachant néanmoins que l'agneau et le mouton, bien que gras, occupent une place un peu à part : ils apportent en effet des acides gras oméga-3, qui, même en quantités modestes, sont bénéfiques pour le cœur et les artères.

Viandes plus ou moins grasses

	MORCEAUX PEU GRAS	MORCEAUX PLUS GRAS
Abats	Cœur, foie, rognons	Langue de bœuf, cervelle
Agneau		Côtelette, gigot, épaule
Bœuf	Bifteck, faux-filet, rosbif, steak haché à 5 % de matières grasses	Entrecôte, bourguignon, pot-au-feu, steak haché à 15 % ou 20 % de matières grasses
Charcuterie	Jambon cuit (sans le gras), bacon	Andouille, boudin, pâté, saucisson, jambon cru, etc.
Cheval	Tous morceaux	
Gibier	Chevreuil, sanglier	
Lapin	Tous morceaux	
Porc	Filet maigre	Côtelette, rôti, travers, échine
Veau	Côte, escalope, filet	Rôti
Volailles	Dinde, poulet, pintade, caille	Canard, faisan, oie, pigeon, poule

Consommez régulièrement – au moins deux fois par semaine – des poissons, notamment des poissons gras car ils sont riches en oméga-3.

Quant aux œufs, limitez-les à 4 par semaine (y compris ceux inclus dans les sauces ou desserts) si vous avez des problèmes cardio-vasculaires, un excès de cholestérol, un diabète, une hypertension artérielle ou encore si vous fumez.

• Produits laitiers : des yaourts et du fromage

Si vous souhaitez vous rapprocher du régime crétois, abandonnez (ou réduisez) le lait entier, les crèmes lactées ou le fromage blanc au profit des fromages ou des laits fermentés (comme le

Poissons gras

À PRIVILÉGIER - POUR TOUS	À ÉVITER EN CAS D'EXCÈS DE POIDS
Anguille	
Anchois frais et au naturel (conserve)	Anchois à l'huile (conserve)
Flétan	
Hareng frais ou fumé, rollmops au vinaigre	Rollmops à la crème
Maquereau frais, fumé, et au vin blanc (conserve)	
Roussette	
Sardine fraîche	Sardine à l'huile
Saumon frais ou fumé	
Thon frais et au naturel (conserve)	Thon à l'huile (conserve)
Truite	
	Poisson pané, poisson frit, croquettes de poisson
Œufs de poisson : caviar, œufs de lump	

yaourt), tout aussi riches en calcium (voir page 35). Un morceau de fromage et 1 à 2 yaourts par jour constituent une moyenne raisonnable.

• **Du vin : en quantités raisonnables**

Présenté souvent comme le porte-drapeau du régime crétois, le vin rouge a certes des avantages (voir page 36), mais n'est pas absolument indispensable !

Si vous buvez régulièrement 2 verres de vin rouge par jour, pour une femme (soit 25 cl), ou 3 verres, pour un homme (soit une demi-bouteille de 75 cl), continuez sans complexe.

Si vous buvez de plus grandes quantités, réduisez-les si possible car vous risquez alors de pâtir des effets néfastes de l'alcool.
Si vous n'appréciez pas le vin, ne vous forcez pas ! En effet, ce n'est pas le vin rouge, mais la combinaison d'un ensemble d'aliments ainsi qu'une façon savoureuse et conviviale de consommer ceux-ci qui sont à l'origine des bénéfices du régime crétois.
Enfin, n'oubliez pas de disposer sur la table deux verres, l'un à eau, pour vous rafraîchir, l'autre à vin, pour apprécier le vin... à petites doses !

➤ LE RÉGIME CRÉTOIS POUR CHACUN

Apporter une touche crétoise à son alimentation sera bénéfique pour tous, mais pas forcément de la même façon pour chacun. Certaines périodes de la vie, certains problèmes de santé requièrent des conseils plus spécifiques.

• La grossesse, l'enfance et l'adolescence

À l'adolescence, le corps a un besoin accru de calcium et de protéines de bonne qualité en raison de la croissance. Ne soyez pas plus « crétois que les Crétois » en voulant bannir complètement les aliments d'origine animale de votre alimentation : accordez une large place aux fruits, aux légumes et aux féculents, mais consommez également de la viande, des poissons et surtout des produits laitiers, riches en calcium.
Ces mêmes conseils s'adressent également aux femmes enceintes ou qui allaitent, en sachant que pour elles comme pour l'enfant ou l'adolescent, l'apport d'acides gras oméga-3 (dans les huiles de colza, soja, noix, ainsi que dans les poissons gras, les noix et noisettes) est particulièrement important pour la formation puis l'équilibre des neurones, et donc pour l'intellect.

• Les seniors

Avec l'âge, les principaux risques liés à la façon de se nourrir ne sont ni les maladies cardio-vasculaires, ni le cancer, ni l'obésité, mais la dénutrition. Si vous appréciez les principes du régime crétois, adoptez-les : ils vous mettront en appétit et seront utiles pour votre santé. Dans le cas inverse, ne changez rien à vos habitudes, car vous risqueriez de perturber un équilibre parfois précaire.

Après 70 ans, les protéines animales sont particulièrement intéressantes pour réduire les risques de fonte musculaire : en plus des produits d'origine végétale (féculents, pain, huile, légumes, fruits) proposés par le régime crétois, accueillez donc viandes et produits laitiers à votre table.

• Les problèmes de poids

Le régime crétois, en dépit de l'huile d'olive omniprésente, ne fait pas grossir, grâce à la place importante dévolue aux fruits et légumes et qui équilibre la concentration calorique des repas dans un sens favorable pour la ligne. Mais, à l'inverse, il n'a pas vocation à vous faire maigrir.

Si vous cherchez à perdre du poids, il vous faudra sans doute diminuer de moitié les quantités d'huile préconisées dans les recettes de cet ouvrage, et ne pas prendre du pain ou des féculents au déjeuner et au dîner, mais à un seul des deux repas.

• Les problèmes cardio-vasculaires

Que vous ayez ou non fait un infarctus, le régime crétois sera particulièrement bénéfique pour vos artères si vous souffrez d'une maladie cardio-vasculaire telle qu'une angine de poitrine. Il en est de même si vous présentez ce que les médecins appellent un facteur de risque vasculaire (hypercholestérolémie, diabète, hypertension artérielle, tabac, sédentarité). De même, si vos parents, frères ou sœurs ont pâti avant l'âge de 65 ans d'une

maladie cardio-vasculaire, votre risque est plus élevé et vous aurez intérêt à surveiller votre alimentation.
Dans tous les cas, demandez conseil à votre médecin qui sera le plus à même de faire la part des choses.

➤ LE PLAISIR ET LA CONVIVIALITÉ

Le régime crétois est constitué de repas savoureux et colorés ; la texture des aliments est habituellement craquante (légumes crus ou légèrement cuits) ou ferme (pâtes, pain), le Crétois ne rechignant pas à mâcher la nourriture. Les saveurs sont variées, souvent acides (ail, citron, vinaigre, oignons, épices, herbes aromatiques) : alors, ne vous cantonnez pas au « salé-sucré » qui a pris bien trop d'importance, notamment sous l'influence de la cuisine anglo-saxonne.
Le régime crétois n'est ni triste ni végétarien : même s'il offre une large place aux aliments d'origine végétale tels que les légumes, les fruits, les féculents, le pain et, bien sûr, l'huile d'olive, il accueille aussi les viandes, les poissons, les fromages et yaourts. Les préparations sont habituellement simples ; c'est plutôt le choix des aliments (des aliments de qualité !) et la façon de les associer qui révèlent les saveurs plutôt que des cuissons ou des sauces laborieuses.
Le régime crétois est fait pour être partagé entre amis ou en famille : adaptez-en les principes à vos goûts et à ceux de vos proches afin de réussir des plats simples et savoureux, pour tous les jours de la semaine ou pour des occasions plus festives. Les recettes qui suivent n'ont pas d'autre ambition que de vous y aider. Et, comme les Crétois, n'hésitez pas à satisfaire à un certain rituel dans l'ordonnancement des plats : à partir du moment où elles sont suffisamment souples pour être acceptées par toute la famille, les règles de « savoir-vivre » que vous aurez choisies ne nuisent pas, bien au contraire, au plaisir et à

la convivialité ; de plus, elles sont indispensables à l'enfant pour qu'il apprenne à structurer son alimentation.
Enfin, ne suivez pas nos conseils de façon obsessionnelle, n'hésitez pas à manger tout à fait différemment, deux ou trois fois par semaine, par exemple en allant au restaurant ou chez des amis ; cela ne vous empêchera en rien de profiter des bénéfices du régime crétois : c'est l'équilibre sur le long terme qui importe, et celui-ci n'est pas altéré par un repas apparemment « déséquilibré » de temps en temps.

De la théorie... à l'assiette

D'OÙ LES CRÉTOIS TIRENT-ILS LEUR BONNE SANTÉ ?	DANS QUELS ALIMENTS TROUVENT-ILS CES NUTRIMENTS PROTECTEURS ?	COMMENT FAIRE AUSSI BIEN EN FRANCE ?
Les vitamines B9 et C ; le bêtacarotène ; les flavonoïdes.	Une large variété et une grande quantité de fruits et de légumes ; de l'ail, des oignons, des herbes aromatiques.	Comme les Crétois, mangez des légumes au déjeuner et au dîner, et au moins 3 fruits par jour.
La nature des acides gras alimentaires (éléments de base des graisses) : mono-insaturés en plus grande quantité que saturés ou polyinsaturés.	Une cuisine basée sur l'huile d'olive.	Pour vos vinaigrettes et votre cuisine, préférez l'huile d'olive ou de colza plutôt que les autres huiles, le beurre ou la crème.
Les acides gras oméga-3.	Les poissons et... les escargots ; certains légumes verts comme le pourpier ; des desserts à base d'amandes ou de noix.	Mangez du poisson au moins deux fois par semaine, en privilégiant les poissons gras ; utilisez régulièrement l'huile de colza, éventuellement de noix ou de soja ; n'oubliez pas les noix, les noisettes et les amandes.

De la théorie… à l'assiette *(suite)*

D'OÙ LES CRÉTOIS TIRENT-ILS LEUR BONNE SANTÉ ?	DANS QUELS ALIMENTS TROUVENT-ILS CES NUTRIMENTS PROTECTEURS ?	COMMENT FAIRE AUSSI BIEN EN FRANCE ?
Le calcium ; les ferments lactiques.	Les fromages fermentés et les yaourts.	Appréciez les yaourts et/ou le plateau de fromages.
Les glucides lents ; la vitamine B9 ; le magnésium ; l'acide phytique.	Les légumes secs, les pâtes, le couscous, la semoule, le boulghour et le riz ; du pain confectionné à partir d'une farine peu raffinée.	Consommez un ou plusieurs de ces aliments à chacun des repas.
Les protéines ; des oligo-éléments comme le fer, le zinc et le sélénium ; la vitamine B12.	Des volailles, de la viande ou des œufs, le tout à une fréquence ou en quantités modérées afin d'éviter les inconvénients liés aux excès.	Appréciez volailles, viandes et œufs, mais avec modération, notamment pour la viande rouge.
Le vin rouge ; les polyphénols	Le vin rouge aux repas.	Sur ce plan, les Français ont peu à apprendre des Crétois ! Attention, cependant, aux effets néfastes liés à l'excès de boissons alcoolisées.
Le plaisir à manger ; la convivialité.	Le choix d'aliments savoureux ; des préparations simples mais justes ; le partage avec ses proches.	Pour le plaisir du goût, essayez les recettes proposées dans les pages qui suivent. Pour la convivialité, avez-vous vraiment besoin de conseils ?

Vous venez de prendre connaissance des bases « conceptuelles » pour bénéficier du régime crétois dans votre vie de tous les jours. Les recettes qui suivent ont pour vocation de vous donner des idées pour vos repas quotidiens comme pour vos repas de fête.

Ces recettes suivent les principes du régime crétois mais ont été adaptées à la mode française afin de manger crétois tout en partageant vos repas avec vos proches ou vos amis.

Vous pouvez modifier les recettes en fonction de vos goûts. Ainsi, par exemple, il est possible de réduire les portions de viande ou les quantités d'huile si vous trouvez certaines recettes trop riches, augmenter la part des légumes et des féculents si vous souhaitez donner à ces plats une connotation plus végétale, ou modifier les choix des épices si vous préférez d'autres saveurs.

Crottin de chèvre à l'artichaut

Préparation : 15 min

Cuisson : 15 min

Pour 4 personnes
4 gros artichauts camus
4 crottins de chèvre demi-affinés
1 citron
1 noix de beurre
4 cuillerées à café d'huile d'olive
1 branche de sarriette
sel, poivre

À savourer avec un saint-julien.

❖ Cassez la tige des artichauts et enlevez les feuilles extérieures. Lavez-les soigneusement en écartant les feuilles. Faites-les cuire 10 minutes environ à la vapeur, dans le panier d'un autocuiseur, sur un fond d'eau salée.

❖ Égouttez les artichauts. Les feuilles doivent se détacher facilement mais le fond doit rester croquant. Laissez tiédir, puis enlevez les feuilles. Ne les jetez pas mais gardez-les comme mouillettes pour des œufs mollets.

❖ Placez chaque artichaut dans un plat à œuf individuel beurré, donnez un tour de moulin à poivre et ajoutez 1 pincée de sel, 1 cuillerée à café d'huile d'olive et quelques gouttes de citron. Placez un crottin de chèvre au milieu, décorez d'un brin de sarriette. Allumez le gril, glissez les plats dessous. Laissez quelques secondes, le temps que le fromage soit doré et fondant. Servez aussitôt.

Une façon originale de décliner la salade au chèvre devenue un grand classique. L'artichaut s'est lentement implanté en France. Lors d'un voyage en Italie, le sculpteur Rodin a découvert « le sucré de Gênes », espèce cultivée en Ligurie dont on mange une partie des feuilles.

Salade de fonds d'artichaut au citron

❖ Préparez les artichauts : cassez la queue, coupez les feuilles autour des fonds, enlevez le foin, citronnez les fonds avec 1/2 citron.

❖ Pelez l'oignon et les pommes de terre, coupez-les en dés.

❖ Mettez un fond d'huile dans une casserole, rangez-y l'oignon et les pommes de terre. Posez les fonds d'artichaut dessus en les calant bien les uns contre les autres, salez, poivrez, sucrez. Versez environ 1 cm d'eau. Couvrez, portez à ébullition et laissez à feu doux une quinzaine de minutes, le temps de cuire les artichauts. Mettez de côté les pommes de terre et les oignons, qui ne sont utiles qu'à la cuisson.

❖ Vérifiez la cuisson et l'assaisonnement des artichauts. Enlevez les fonds, placez-les dans des assiettes. Arrosez avec le jus des citrons et parsemez d'aneth haché. Servez tiède.

Préparation : 25 min

Cuisson : 15 min

Pour 3 personnes
6 artichauts
2 petites pommes de terre
1 oignon moyen
2 citrons
1 pincée de sucre
2 cuillerées à soupe d'huile
1 branche d'aneth
sel, poivre

À savourer avec un rouge corsé de Crète comme le péza.

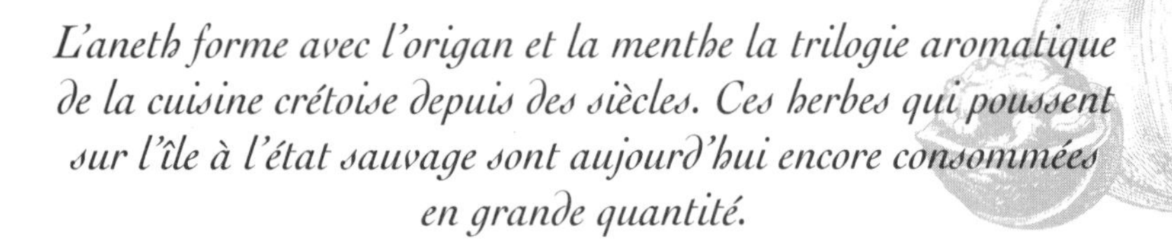

L'aneth forme avec l'origan et la menthe la trilogie aromatique de la cuisine crétoise depuis des siècles. Ces herbes qui poussent sur l'île à l'état sauvage sont aujourd'hui encore consommées en grande quantité.

Salade de poulpe aux artichauts

Préparation : 15 min

Cuisson : 10 min

Pour 6 personnes
500 g de poulpe
6 gros artichauts camus
2 gousses d'ail
1 citron
6 cuillerées à soupe d'huile d'olive
1 petit bouquet de persil
sel, poivre

À savourer avec un vin rouge du Lubéron.

❖ Cassez la tige des artichauts et enlevez les feuilles extérieures et le foin. Lavez-les soigneusement en écartant les feuilles. Faites-les cuire de 30 à 40 minutes dans un cuit-vapeur.

❖ Vérifiez la cuisson des artichauts : les feuilles doivent s'enlever facilement mais le fond doit rester croquant.

❖ Lavez le poulpe. Coupez-le en carrés. Pelez et hachez l'ail. Lavez le persil et ciselez-le dans un verre.

❖ Faites frire les morceaux de poulpe salés et poivrés 5 minutes dans 1 cuillerée à soupe d'huile d'olive, en remuant souvent. Jetez-les dans une passoire pour qu'ils s'égouttent. Saupoudrez-les d'ail et de persil, arrosez-les avec un peu d'huile d'olive et de jus de citron.

❖ Préparez une vinaigrette pour les artichauts avec le reste de l'huile d'olive et du jus de citron, du sel et du poivre. Assaisonnez les artichauts, mélangez-les avec le poulpe. Présentez dans des assiettes avec quelques feuilles d'artichaut autour.

Le poulpe (ou pieuvre) a huit bras égaux et un « bec » qui lui permet de se nourrir de coquillages. Plus il est petit, meilleur il est.

Aubergines à la cuillère

Préparation : 40 min

Cuisson : 40 min

Pour 6 personnes
6 belles aubergines
6 tomates moyennes
2 oignons moyens
200 g de féta ou de pecorino
3 cuillerées à soupe d'huile d'olive
4 branches de basilic
4 branches de persil
sel, poivre

❖ Ébouillantez les tomates, égouttez-les, pelez-les, coupez-les en deux, pressez-les pour ôter l'eau et les pépins. Détaillez la pulpe en dés.

❖ Lavez les aubergines, coupez un chapeau aux deux tiers de leur longueur, évidez-les soigneusement. Salez les peaux, retournez-les sur un plat.

❖ Pelez et émincez les oignons. Lavez et égouttez le persil et le basilic. Coupez le fromage en dés.

❖ Dans 2 cuillerées à soupe d'huile chaude, faites blondir les oignons. Ajoutez la chair des aubergines puis les dés de tomate et le persil ciselé. Salez, poivrez.

❖ Laissez cuire à feu doux 10 minutes. Découvrez à mi-cuisson pour faire évaporer l'excédent d'eau.

❖ Versez la préparation dans une jatte, écrasez grossièrement avec une spatule en bois. Coupez les feuilles de basilic, ajoutez-les à la préparation. Rectifiez l'assaisonnement. Laissez tiédir.

Aubergines à la cuillère (suite)

À savourer avec un côtes-de-bourg pour ses tanins serrés.

❖ 40 minutes avant le repas, préchauffez le four à 175 °C (th. 6). Épongez les peaux d'aubergine. Ajoutez à la farce les dés de fromage. Huilez le fond d'un plat avec du papier absorbant, rangez les aubergines farcies dans le plat en les calant bien les unes contre les autres. Faites cuire 30 minutes au milieu du four.

❖ Posez une demi-aubergine sur chaque assiette. Portez à table. Les aubergines tiédiront le temps que les convives s'installent. C'est ainsi qu'il faut les déguster.

Le basilic exalte les saveurs. En grec, basilikos *veut dire « royal ». On prête au basilic des vertus tranquillisantes. Une fois séché, il perd son arôme ; mieux vaut donc le consommer frais.*

Aubergines grillées en salade

Préparation : 10 min

Cuisson : 10 min

Pour 6 personnes
4 aubergines
2 gousses d'ail
4 cuillerées à soupe d'huile d'olive
quelques branches de basilic
sel, poivre

❖ Lavez, pelez les aubergines. Coupez-les en tranches fines dans le sens de la longueur. Pelez les gousses d'ail et hachez-les.

❖ Avec un pinceau, passez un peu d'huile d'olive sur la lèchefrite du four, étalez l'ail, salez et poivrez. Posez une couche d'aubergines dessus. Badigeonnez-les d'huile, toujours avec votre pinceau. Salez et poivrez de nouveau.

❖ Allumez le gril. Glissez la lèchefrite au milieu du four pour que les aubergines ne brûlent pas et laissez griller 5 minutes. Rangez les aubergines dans le plat de service et parsemez chaque couche de feuilles de basilic.

❖ Faites cuire le reste des aubergines de la même façon et empilez-les sur le plat de service. Laissez refroidir avant de servir.

À savourer avec un rosé crétois comme le sitia.

L'ail est l'ami incomparable d'un certain nombre de préparations. Ses gousses doivent être bien remplies et fermes. L'ail d'été est sans germe, mais en hiver il faut ôter ce « remords » pour le rendre plus digeste : coupez la gousse en deux et retirez la petite tige verte qui se trouve au centre avec la pointe d'un couteau.

Mille-feuille d'aubergine au crabe

Préparation : 30 min

Dégorgage des tomates : 1 h

Cuisson : 10 min

Pour 6 personnes
2 aubergines
2 boîtes de crabe
4 belles tomates mûres
1 gousse d'ail
10 cl d'huile d'olive
3 branches de basilic frais et 6 feuilles
1 pincée de sucre
sel, poivre

À savourer avec un beaujolais primeur.

❖ Préparez un coulis : ébouillantez les tomates, égouttez-les, pelez-les, coupez-les en deux, enlevez les pépins, mettez-les dans une passoire, saupoudrez de sel et laissez dégorger 1 heure.

❖ Épluchez l'ail, ôtez le germe. Mixez l'ail et les tomates avec 1 cuillerée à soupe d'huile d'olive, du sel, du poivre et le sucre. Coupez grossièrement les feuilles de basilic rincées et épongées, versez le coulis dessus. Mélangez et mettez au frais.

❖ Lavez et essuyez les aubergines. Coupez-les dans le sens de la longueur en tranches fines. Faites chauffer un fond d'huile dans une grande poêle. Mettez plusieurs tranches d'aubergine et laissez cuire 5 minutes de chaque côté. Salez, poivrez, posez sur du papier absorbant et gardez au chaud. Recommencez pour les autres tranches.

❖ Égouttez le crabe, répartissez-le sur les tranches d'aubergine, repliez. Servez tiède entouré du coulis de tomates. Décorez d'une feuille de basilic.

Si la tomate, d'origine sud-américaine, a mis lontemps à s'implanter en France, c'est qu'elle fait partie des solanacées au même titre que la belladone, plante très vénéneuse.

Purée d'aubergines

❖ Préchauffez le four à 200 °C (th. 6-7).

❖ Pelez et râpez l'oignon. Plongez la tomate 10 secondes dans de l'eau bouillante égouttez-la dans une passoire sous un jet d'eau froide, pelez-la, épépinez-la et concassez la chair.

❖ Faites cuire les aubergines 1 heure au four jusqu'à ce qu'elles soient bien molles. Laissez tiédir.

❖ Coupez les aubergines en deux, évidez la chair avec une cuillère, hachez-la, salez, poivrez, ajoutez l'oignon et la tomate, le jus du citron et l'huile. Servez froid.

Préparation : 15 min

Cuisson : 1 h

Pour 2 personnes

2 aubergines
1 petit oignon
1 petite tomate mûre
1/2 citron
3 cuillerées à soupe d'huile
sel, poivre

À savourer avec un archanès rouge de Crète.

Le secret de cette recette réside dans la cuisson de l'aubergine : à point. L'essentiel est que l'aubergine n'offre plus de résistance sous la pression des doigts.

Salade d'aubergines au sésame

À préparer la veille

Préparation et cuisson : 30 min

Pour 6 personnes
3 belles tomates
3 aubergines moyennes
2 petits oignons
1 poignée de raisins secs
1 cuillerée à café de graines de sésame
6 brins de persil
2 feuilles de laurier
6 cuillerées à soupe d'huile d'olive
2 cuillerées à soupe de vinaigre de vin
sel, poivre

À savourer avec un côtes-de-blaye.

❖ Ébouillantez les tomates 10 secondes, égouttez-les, pelez-les, ôtez les pépins, concassez grossièrement la chair. Pelez et coupez les oignons en petits dés. Lavez les aubergines et coupez-les en rondelles moyennes.

❖ Faites chauffer 2 cuillerées à soupe d'huile d'olive dans une sauteuse, mettez les oignons à dorer, laissez cuire doucement 5 minutes sans couvrir. Ajoutez les tomates, le sésame, les raisins secs, salez, poivrez, laissez mijoter à découvert 5 minutes pour que l'eau s'évapore.

❖ Faites chauffer 4 cuillerées à soupe d'huile d'olive dans une poêle antiadhésive, mettez-y les aubergines, laissez cuire 5 minutes, salez et poivrez. Retournez-les, poursuivez la cuisson 5 minutes à couvert, à feu doux. Au fur et à mesure de leur cuisson, déposez-les sur un papier absorbant. Procédez en plusieurs fois s'il le faut.

❖ Déposez les aubergines dans une terrine, recouvrez avec la sauce aux oignons. Servez froid avec du persil ciselé.

En Grèce antique, on considérait que la graine de sésame était salutaire pour la santé. Aujourd'hui, les Crétois continuent la tradition et saupoudrent leurs gâteaux de graines de sésame.

Keftédès

❖ Hachez finement le persil et la menthe. Pelez les pommes de terre et l'oignon blanc, râpez-les, versez-les dans une passoire, posez un poids dessus pour qu'ils s'égouttent.

❖ Mettez la viande dans une jatte. Creusez un trou, cassez-y l'œuf. Ajoutez les herbes (menthe fraîche et sèche et persil) hachées, salez, poivrez.

❖ Épongez les pommes de terre et l'oignon dans un linge. Ajoutez-les à la préparation. Mélangez le tout à la main de façon à confectionner une pâte. Ajoutez un peu de chapelure au fur et à mesure pour que la pâte ne soit pas liquide. Confectionnez des boulettes avec vos mains, roulez-les dans la chapelure.

❖ Lavez et coupez la salade en chiffonnade (lanières). Émincez finement les oignons nouveaux.

❖ Préparez une vinaigrette avec 5 cuillerées à soupe d'huile d'olive, le jus du citron, du sel et du poivre. Ciselez la coriandre au-dessus de la salade.

Préparation : 30 min

Cuisson : 5 min

Pour 8 personnes
500 g de bifteck haché
3 grosses pommes de terre (bintje)
1 salade romaine
2 oignons nouveaux
1 oignon blanc moyen
1 œuf
1 citron
4 cuillerées à soupe de chapelure (ou 4 biscottes écrasées)
10 cl d'huile d'olive
1 cuillerée à café de menthe séchée
10 brins de persil
2 petites branches de menthe fraîche
8 brins de coriandre fraîche
sel, poivre

Keftédès (suite)

À savourer avec un saint-estèphe.

❖ Faites chauffer le reste de l'huile dans une sauteuse et faites-y frire 2 minutes les boulettes par petites quantités, en secouant le récipient. Posez-les sur du papier absorbant.

❖ Assaisonnez la salade avec l'oignon nouveau et la vinaigrette. Déposez les boulettes dessus. Décorez de coriandre.

En 1593, l'amiral Hawkins constate que le jus de citron soigne son équipage atteint de scorbut. Dès lors, le citron est employé autant en cuisine qu'en médecine.

Boulghour à la coriandre et aux olives

❖ Faites tremper le boulghour 1 heure dans une jatte d'eau froide.

❖ Égouttez le boulghour. Hachez le persil et les olives, ajoutez-les au boulghour. Rincez les raisins secs, ajoutez-les également.

❖ Mélangez le jus du citron et l'huile d'olive. Versez sur le boulghour. Mélangez bien. Ajoutez la cannelle et la coriandre. Salez, poivrez. Mélangez encore. Mettez 1 heure au frais.

❖ Vérifiez l'assaisonnement au moment de servir.

Préparation : 10 min

Trempage du boulghour : 1 h

Cuisson : sans

Réfrigération : 1 h

Pour 6 personnes
250 g de boulghour fin
100 g de raisins secs
1 citron
1 douzaine d'olives noires
1 cuillerée à café de cannelle
1 cuillerée à café de coriandre en poudre
2 cuillerées à soupe d'huile d'olive
1 petit bouquet de persil plat
sel, poivre

À savourer avec un irouléguy rouge pour la présence de ses tanins.

On disait à Rome que la meilleure coriandre était celle d'Égypte. On conseillait de la mettre sous l'oreiller avant le lever du soleil pour guérir les fièvres. Le boulghour, blé complet précuit et séché, donne à cette recette un intérêt diététique supplémentaire.

Taboulé vert

Préparation : 15 min
la veille

Cuisson : sans

Pour 4 personnes
5 cuillerées à soupe
rases de boulghour fin
1 gros oignon
1 grosse tomate
1 citron
3 branches de persil
1 branche de menthe
fraîche
2 cuillerées à soupe
d'huile d'olive
sel, poivre

❖ Lavez le persil et les feuilles de menthe, épongez-les et hachez-les finement. Pelez et râpez l'oignon.

❖ Lavez et coupez la tomate en petits dés. Mélangez le tout, salez, poivrez, ajoutez l'huile d'olive et le jus du citron.

❖ Ajoutez le boulghour à la préparation précédente, mélangez bien. Servez frais.

À savourer avec un vin rouge de Toscane.

Aujourd'hui, les Crétois utilisent beaucoup le boulghour. Les grains fins sont réservés aux salades, les gros aux pilafs.

Dolmades

Préparation : 1 h 30

Cuisson : 20 min

Pour 8 personnes
1 chou vert frisé
1 botte de blettes
2 pommes de terre
1 citron
250 g de riz lavé
500 g de tomates
1 artichaut
1 oignon
15 cl d'huile d'olive
1 cuillerée à café
de cumin moulu
4 branches d'aneth
4 branches de persil
sel, poivre

❖ Faites bouillir un grand volume d'eau salée. Débarrassez le chou des feuilles flétries, lavez-le, égouttez-le, coupez le trognon et enlevez toutes les feuilles. Plongez celles-ci 5 minutes dans l'eau bouillante. Égouttez-les dans une passoire.

❖ Effilez les blettes, plongez-les 2 minutes dans l'eau du chou. Égouttez-les et émincez-les. Plongez ensuite les tomates 10 secondes dans la même eau, égouttez-les, pelez-les et concassez-les.

❖ Pelez et émincez finement l'oignon. Pelez et coupez les pommes de terre en rondelles moyennes. Émincez les blettes.

❖ Débarrassez l'artichaut de ses feuilles, citronnez son fond puis râpez-le.

❖ Rincez, égouttez et hachez les herbes.

❖ Faites chauffer la moitié de l'huile dans une marmite et faites-y blondir l'oignon. Ajoutez les tomates, les herbes et les blettes. Mélangez, ajoutez alors l'artichaut et le jus du citron, salez, poivrez et laissez cuire à découvert 5 minutes.

Dolmades (suite)

À savourer avec un sitia rouge, vin corsé de Crète.

❖ Hors du feu, ajoutez le riz à la préparation et mélangez bien. Déposez cette farce sur les feuilles de chou, rabattez les bords sur la farce et roulez les feuilles.

❖ Versez un fond d'huile d'olive dans une casserole, rangez-y les pommes de terre, entassez les dolmades, salez, poivrez. Versez le reste d'huile d'olive et ajoutez de l'eau à hauteur. Posez une assiette et un poids dessus. Portez doucement à ébullition et laissez cuire le riz 20 minutes, en prenant soin d'agiter la casserole de temps en temps sans toucher aux dolmades.

Le cuisinier romain Apicius conseillait de faire macérer le chou dans l'huile d'olive et le sel avant de le cuisiner, afin qu'il soit plus digeste.

Salade de chou aux noix

❖ Enlevez les premières feuilles du chou. Coupez-le en quatre, ôtez le trognon et les grosses côtes. Tranchez chaque quartier en lanières très fines.

❖ Préparez la vinaigrette avec le jus du citron, l'huile d'olive, du sel et du poivre. Versez sur le chou et mélangez.

❖ Cassez les noix. Coupez la féta en dés. Ajoutez au chou les cerneaux de noix et le fromage et laissez quelques heures au frais avant de servir.

Préparation : 15 min

Macération : quelques heures

Cuisson : sans

Pour 6 personnes
1 chou blanc bien serré
6 noix
1 citron
200 g de féta
3 à 4 cuillerées à soupe d'huile d'olive
sel, poivre

À savourer avec un bordeaux rouge.

Dans la Rome antique, les entrées étaient composées de moules, poisson salé et légumes mis en vinaigrette. Ces acetaria *ouvraient l'appétit et favorisaient la digestion. On conseillait même de prendre du chou cru le matin avec du miel et de la coriandre comme fortifiant. Pour éveiller les esprits, on ajoutait de la menthe.*

Soupe de concombre à la menthe

Préparation : 15 min

Cuisson : sans

Pour 6 personnes
3 concombres
200 g de féta
1 citron
1 petit bouquet de menthe fraîche
2 cuillerées à soupe d'huile
1 cuillerée à café de sel fin
noix muscade, poivre

À savourer avec un collioure pour sa légèreté.

❖ Pelez les concombres, pressez le citron, lavez la menthe, coupez la féta en dés.

❖ Râpez les concombres, écrasez la féta, ciselez la menthe et mixez le tout en ajoutant le jus du citron, du sel, du poivre, l'huile et 1 ou 2 pincées de noix muscade. Servez très frais.

Au XVIIe siècle, les médecins conseillaient de confire le concombre dans du vinaigre pour le rendre plus digeste. Certains cuisiniers proposent aujourd'hui de le passer une minute à la vapeur avant de le servir en salade. Dans cette recette, c'est le citron qui fait office de vinaigre.

Gambas au concombre

❖ La veille, pelez le concombre et coupez-le en rondelles fines avec un gros couteau économe. Mettez celles-ci dans un fond d'eau additionnée du vinaigre de vin avec 1 cuillerée à café de sel fin et le sucre. Laissez macérer 12 heures au frais

❖ Le jour même, décortiquez les gambas. Versez dessus quelques gouttes d'huile d'olive, parsemez de safran et de piment doux. Poivrez.

❖ Égouttez le concombre. Disposez-le en cercle dans les assiettes en faisant chevaucher les rondelles, saupoudrez de graines de coriandre.

❖ Faites chauffer l'huile dans une poêle, saisissez-y les gambas 1 minute de chaque côté. Assaisonnez de gros sel. Déposez les gambas au centre des assiettes. Ciselez la coriandre fraîche au-dessus.

Préparation et cuisson : 30 min

Macération du concombre : 12 h

Pour 4 personnes
16 gambas
1 concombre
2 cuillerées à soupe de vinaigre de vin
1 cuillerée à soupe de graines de coriandre
4 branches de coriandre fraîche
10 filaments de safran
2 pincées de piment doux moulu
2 cuillerées à soupe d'huile d'olive
1 pincée de sucre
4 pincées de gros sel gris
sel, poivre du moulin

À savourer avec un côtes-du-luberon.

Il y a beaucoup de concombres en Crète. Alexis Zorba, le héros de Nikos Kazantzakis, écrit : « Il y a des caroubes, des haricots, des pois chiches, de l'huile, du vin. Et là-bas, dans le sable, poussent les concombres et les melons les plus précoces de Crète. »

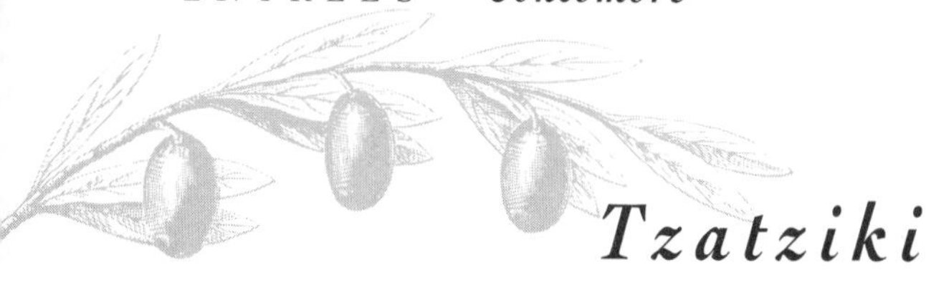

Tzatziki

Préparation : 10 min

Cuisson : sans

Pour 6 personnes
3 concombres
6 yaourts grecs au lait de brebis
2 citrons
3 cuillerées à soupe d'huile d'olive
quelques feuilles de menthe fraîche
1 demi-gousse d'ail coupée finement (facultatif)
sel, poivre

À savourer avec un vin résiné rosé.

❖ Pelez les concombres. Coupez-les en deux dans la longueur, enlevez les pépins, puis taillez-les en petits dés.

❖ Préparez une sauce avec le jus des citrons, les yaourts et l'huile d'olive. Poivrez, salez. Incorporez à la sauce les concombres, la menthe ciselée et l'ail, si vous le souhaitez. Servez bien frais.

Dans l'Antiquité, les médecins avaient une représentation du corps, hormis la tête, en deux parties : le thorax et le ventre. Pour rester en bonne santé, il fallait purger ces deux cavités. Parmi les plantes purgatives, on conseillait le concombre. L'empereur Tibère eut l'idée de le faire cultiver dans des caisses à roulettes, afin de le mettre à l'abri dès les premiers signes de froid.

Salade de coques au fenouil

❖ Coupez les tiges et la base des bulbes de fenouil, enlevez la première feuille. Passez-les sous l'eau froide. Coupez-les en fines lamelles. Préparez une vinaigrette avec l'huile d'olive et le jus du citron. Versez sur le fenouil, remuez et laissez macérer de 2 à 3 heures au frais.

❖ Rincez les coques. Laissez-les tremper 30 minutes au moins dans de l'eau fortement salée pour qu'elles rendent leur sable. Égouttez-les en les frottant entre vos mains.

❖ Faites ouvrir les coques sur feu vif avec les échalotes pelées et hachées et le bouquet garni. Enlevez les coquilles. Ajoutez les coques encore tièdes au fenouil. Parsemez de cerfeuil haché. Servez aussitôt.

Préparation : 45 min

Cuisson : 5 min

Macération : 2 à 3

Trempage des coques : 30 min au moins

Pour 6 personnes
2 litres de coques
2 bulbes de fenouil
2 échalotes
3 cuillerées à soupe d'huile d'olive
1 citron
1 bouquet garni
quelques branches de cerfeuil
sel, poivre

À savourer avec un rosé de Loire.

Le fenouil a toujours été recommandé pour faciliter la digestion. On le trouve sur les marchés de septembre à mai. Un bon fenouil n'est jamais filandreux, il suffit d'enlever les feuilles dures du pourtour. Dans le fenouil, tout s'utilise : le bulbe nacré en légume, la tige, les graines et les feuilles vertes pour aromatiser les préparations.

Salade de lentilles aux coques

Préparation : 30 min

Trempage des coques : 30 min au moins

Cuisson : 1 h

Pour 6 personnes

250 g de lentilles vertes du Puy
1 litre de coques
1 petit oignon
1 clou de girofle
1 carotte
2 échalotes
1 bouquet garni
quelques branches de persil et de cerfeuil
5 cuillerées à soupe d'huile d'olive
1 cuillerée à soupe de vinaigre de vin
1 cuillerée à soupe de moutarde à l'ancienne
1 cuillerée à café de gros sel
sel, poivre

À savourer avec un goumenissa rosé, vin de Macédoine.

❖ Lavez les coques et laissez-les tremper 30 minutes au moins dans de l'eau fortement salée pour qu'elles rendent leur sable.

❖ Pelez l'oignon, piquez-le du clou de girofle. Pelez la carotte, coupez-la en deux dans le sens de la longueur. Rincez les lentilles sous l'eau et mettez-les dans une casserole avec 1 litre d'eau froide, l'oignon, la carotte et le bouquet garni. Poivrez et laissez cuire 1 heure. Salez à mi-cuisson.

❖ Égouttez les lentilles, enlevez la carotte, l'oignon et le bouquet garni. Laissez refroidir le temps de préparer les coques. Pelez les échalotes.

❖ Égouttez les coques, faites-les ouvrir sur feu vif avec 1 échalote coupée en quatre et le persil. Enlevez les coquilles.

❖ Préparez une vinaigrette moutardée. Mélangez les lentilles, les coques et la seconde échalote hachée finement. Mélangez à la vinaigrette et parsemez de pluches de cerfeuil.

Coques en habit vert

❖ Lavez les coques à grande eau, en les remuant avec la main, puis laissez-les tremper 30 minutes au moins dans de l'eau fortement salée pour qu'elles rendent leur sable.

❖ Égouttez les coques. Pelez et coupez les échalotes en quatre. Faites ouvrir les coques sur feu vif avec les échalotes et le bouquet garni. Enlevez les coquilles. Laissez refroidir.

❖ Pelez les avocats. Mixez leur chair avec l'huile d'olive, le jus des citrons, du sel, du poivre et du paprika. Ajoutez les coques froides. Parsemez de coriandre hachée. Laissez 1 heure au frais.

Préparation : 45 min

Trempage des coques : 30 min au moins

Cuisson : 5 min

Réfrigération : 1 h

Pour 6 personnes

2 litres de coques
4 avocats
2 citrons
2 échalotes
1 bouquet garni
quelques feuilles de coriandre fraîche
3 cuillerées à soupe d'huile d'olive
sel, poivre, paprika

À savourer avec un graves rouge.

L'huile d'olive tenait une grande place dans la cuisine antique, notamment celle d'Italie. On distinguait déjà à cette époque trois qualités d'huile. Pour en accroître le parfum, on fendait l'écorce de l'olivier, sans doute pour mieux ensoleiller la sève de l'arbre.

Courgettes farcies

Préparation : 45 min

Cuisson : 50 min

Pour 6 personnes
6 petites courgettes
1 oignon
100 g de bœuf haché
2 œufs à la température de la pièce
100 g de riz
2 cuillerées à soupe de fromage râpé (parmesan ou pecorino)
1 cuillerée à café de cumin en poudre
1 cuillerée à café d'origan séché
1 cuillerée à soupe de persil haché
1 cuillerée à soupe de feuilles vertes de fenouil ciselées
1 citron
3 cuillerées à soupe d'huile d'olive
sel, poivre

❖ Mettez le riz à cuire dans un grand volume d'eau bouillante salée.

❖ Lavez les courgettes, coupez un chapeau et évidez-les avec une petite cuillère sans percer la peau.

❖ Mettez de l'eau à bouillir, plongez-y les courgettes 2 minutes, égouttez-les.

❖ Pelez l'oignon, hachez-le finement ou râpez-le. Coupez en petits dés la chair retirée des courgettes.

❖ Égouttez le riz. Faites chauffer l'huile d'olive, faites-y dorer l'oignon, ajoutez la viande, mélangez 1 minute, ajoutez ensuite les dés de courgette, faites-les revenir 1 minute, puis ajoutez les herbes et le cumin. Salez et poivrez.

❖ Hors du feu, ajoutez le riz et le fromage. Vérifiez l'assaisonnement.

❖ Farcissez les courgettes avec la préparation. Rangez-les dans une grande cocotte avec un fond d'eau, couvrez et laissez cuire doucement 30 minutes.

❖ Retirez les courgettes farcies avec une écumoire et posez-les sur un torchon.

❖ Battez les œufs avec le jus du citron. Ajoutez 1 cuillerée à soupe du liquide de cuisson des courgettes en fouettant bien le mélange.

❖ Posez les courgettes dans le plat de service, versez la sauce dessus. Servez aussitôt.

À savourer avec un coteaux-du-languedoc rouge.

Le cumin fut lontemps utilisé pour soigner un grand nombre de maladies, et l'origan, rival pour sa saveur de la sarriette, pour lutter contre les insomnies.

Fleurs de courgette farcies

Préparation : 30 min

Cuisson : 20 min

Pour 4 personnes
20 fleurs de courgette
2 tomates moyennes
50 g de riz lavé
1 citron
1 oignon
4 branches de menthe fraîche et d'aneth
1 cuillerée à café de menthe séchée
6 branches de persil
10 cl d'huile d'olive
sel, poivre

À savourer avec un saint-émilion pour sa finesse.

❖ Ébouillantez les tomates. Pelez-les et épépinez-les. Hachez-les grossièrement. Pelez l'oignon et coupez-le en petits dés. Hachez finement les herbes. Pressez le citron.

❖ Versez l'huile d'olive dans une sauteuse, faites-y revenir les herbes. Versez le jus de citron, les tomates, remuez. Ajoutez le riz, salez, poivrez et laissez quelques secondes le temps de sécher la farce.

❖ Farcissez les fleurs de courgette avec la préparation et repliez les pétales, couchez-les dans la sauteuse en les calant bien les unes contre les autres. Versez un fond d'eau, couvrez et laissez cuire doucement 20 minutes en surveillant la cuisson. Au besoin, ajoutez de l'eau. Vérifiez l'assaisonnement.

Claude Galien, né à Pergame en 131, exerça ses fonctions médicales à la cour des empereurs Marc Aurèle et Commode. Pour prévenir et guérir les maladies, il mit au point un classement des aliments. En cas de maladies chroniques, il prescrivait des aliments « atténuants », comme les ingrédients de cette recette. Peu calorique, celle-ci convient particulièrement aux personnes sédentaires.

Potage de courgettes au fromage de brebis

❖ Pelez les courgettes, coupez-les en rondelles moyennes. Pelez les pommes de terre, lavez-les, égouttez-les, coupez-les en gros cubes.

❖ Faites chauffer 2 litres d'eau salée au gros sel. Dès l'ébullition, plongez-y les légumes, attendez la reprise de l'ébullition. Couvrez et laissez cuire 25 minutes à petits bouillons.

❖ Passez le tout au moulin à légumes avec 6 feuilles de menthe et le fromage. Le potage doit être épais. Au besoin, supprimez un peu d'eau de cuisson. Rectifiez l'assaisonnement, versez 1 cuillerée à soupe d'huile d'olive. Mettez en soupière, décorez le centre d'une feuille de menthe. Servez chaud ou froid.

Préparation : 20 min

Cuisson : 30 min

Pour 6 personnes
6 courgettes
6 pommes de terre
200 g de fromage de brebis (pecorino)
7 feuilles de menthe fraîche
1 cuillerée à soupe d'huile d'olive
1 cuillerée à café de gros sel gris
sel, poivre

À savourer avec un fronsac.

Les Crétois apprécient les légumes et le fromage de brebis. Ils aiment aussi la menthe et les soupes. C'est par son savoir-faire en la matière que le héros de Nikos Kazantzakis, Alexis Zorba, s'est fait engager par Kostandi et est parti en Crète avec lui.

Écrevisses au jus de truffes et basilic

Préparation : 10 min

Cuisson : sans

Pour 6 personnes
36 écrevisses décortiquées
250 g de salades mélangées
6 tomates
200 g de mozzarella
1 petite boîte de pelures de truffe
6 cuillerées à soupe d'huile d'olive
1 cuillerée à soupe de vinaigre balsamique
quelques feuilles de basilic
sel, poivre

À déguster avec un vin rouge de Provence pour sa fraîcheur.

❖ Rincez et égouttez les salades, mettez-les au frais dans un linge.

❖ Placez les écrevisses dans une jatte avec les pelures de truffe et leur jus. Réservez au frais.

❖ Lavez les tomates, essuyez-les et coupez-les en rondelles. Coupez également la mozzarella en rondelles.

❖ Préparez la vinaigrette, salez, poivrez. Dans chaque assiette, mettez un lit de salade. Au centre, faites une rosace avec 6 écrevisses. Disposez les tomates et la mozzarella autour en alternant une tranche de tomate, une autre de fromage. Parsemez de basilic ciselé.

Il est facile d'avoir un pot d'écrevisses en saumure dans son réfrigérateur et quelques boîtes de pelures de truffe dans son placard.
On trouve maintenant des salades mélangées prêtes à l'emploi et du basilic toute l'année.

Encornets frits au persil plat

❖ Ouvrez les encornets avec des ciseaux, enlevez la partie centrale et les tentacules. Lavez-les en les débarrassant de leur peau, égouttez-les, coupez-les en lanières épaisses.

❖ Pelez l'ail, enlevez le germe, hachez-le avec le persil.

❖ Mettez 2 cuillerées à soupe d'huile d'olive à chauffer dans une large sauteuse, ajoutez les encornets, salez, poivrez et laissez cuire quelques secondes seulement. Laissez refroidir dans une passoire.

❖ Versez les encornets dans un plat, ajoutez 1 cuillerée à soupe d'huile d'olive, le hachis d'ail et de persil. Arrosez avec le jus du citron. Servez froid.

Préparation : 15 min

Cuisson : 5 min

Pour 6 personnes
800 g d'encornets
2 gousses d'ail
1 citron
3 cuillerées à soupe d'huile d'olive
1 bouquet de persil plat
sel, poivre

À savourer avec un pinot noir.

Reçu médecin à Bâle en 1573, Joseph du Chesne devient le praticien d'Henri IV. Son Pourtraict de santé *est déjà un guide qui n'a rien à envier à ceux d'aujourd'hui. L'auteur y indique l'intérêt diététique de certains aliments. Il estime que certaines plantes aromatiques permettent de réchauffer le corps, et conseille ainsi de consommer du persil en hiver.*

Foies de volaille en habit d'épinards

Préparation : 15 min

Cuisson : 5 min

Pour 6 personnes
18 beaux foies de poulet et de canard
300 g d'épinards nouveaux
6 cuillerées à soupe d'huile d'olive
1 cuillerée à soupe de vinaigre de xérès
1 cuillerée à soupe de jus de citron
1 cuillerée à soupe de moutarde à l'ancienne
6 brins d'estragon
sel, poivre

À savourer avec un coteaux-d'aix rosé.

❖ Nettoyez bien les foies, enlevez le centre, ne gardez que les lobes fermes. Versez dessus un filet d'huile d'olive, salez et poivrez. Réservez au frais.

❖ Équeutez les épinards, lavez-les, égouttez-les soigneusement. Mettez-les au frais dans un linge.

❖ Préparez une vinaigrette dans un saladier avec du sel, du poivre, 5 cuillerées à soupe d'huile d'olive et le jus de citron. Assaisonnez les épinards avec la vinaigrette, dressez-les dans les assiettes.

❖ Faites chauffer le reste de l'huile d'olive dans une poêle, ajoutez les foies, faites-les dorer vivement puis baissez le feu et laissez cuire 3 minutes.

❖ Ajoutez la moutarde et le vinaigre de xérès dans la poêle et grattez le fond avec une spatule. Ciselez l'estragon au-dessus. Répartissez le contenu de la poêle, foies et sauce, sur les épinards. Servez aussitôt.

L'estragon étant très aromatique, quelques tiges suffisent pour parfumer ce plat. On lui prête des vertus stomachiques. Les foies de canard sont meilleurs, mais plus rares. Attention, trop de foies ôtent de sa saveur à cette recette.

Épinards crus au pourpier

❖ Lavez les épinards, égouttez-les, coupez-les en lanières, enveloppez-les dans un torchon et mettez au frais. Lavez le pourpier, égouttez-le et hachez-le grossièrement.

❖ Pressez le citron. Coupez l'extrémité sableuse des champignons, lavez-les, émincez-les et faites-les macérer 1 heure au frais dans la moitié du jus du citron.

❖ Préparez une vinaigrette avec le jus de citron restant, l'huile d'olive, du sel et du poivre. Assaisonnez les épinards, le pourpier et les champignons. Dressez dans les assiettes et décorez d'olives noires.

Préparation : 15 min

Macération : 1 h

Cuisson : sans

Pour 6 personnes
300 g d'épinards nouveaux
250 g de champignons de Paris
125 g de pourpier
4 cuillerées à soupe d'huile d'olive
1 citron
1 douzaine d'olives noires
sel, poivre

À savourer avec un tavel.

La particularité du pourpier est d'être riche en acide linolénique comme l'huile de colza, les épinards, le chou et les noix. Une recette d'origine belge conseillait de blanchir le pourpier, de le faire étuver au beurre et de l'ajouter à une purée de pommes de terre légère. Pour lier le tout, on mettait des jaunes d'œufs et de la crème. Ce genre de potage était dit « de santé ». Pas vraiment léger !

Escargots sautés aux noix

Préparation : 10 min

Cuisson : 5 min

Macération : 1 h

Pour 2 personnes
2 douzaines d'escargots
1/2 gousse d'ail
6 noix
1 cuillerée à café de thym effeuillé
1 cuillerée à café d'huile d'olive
3 branches de persil
sel, poivre

À savourer avec un haut-médoc pour ses tanins.

❖ Pelez l'ail et hachez-le. Cassez les noix et concassez grossièrement les cerneaux.

❖ Mettez les escargots dans une jatte avec l'huile d'olive, l'ail haché, les noix et le thym. Salez, poivrez et laissez macérer 1 heure au frais.

❖ Faites chauffer une poêle. Versez-y les escargots et faites-les sauter rapidement 3 minutes.

❖ Hors du feu, ciselez le persil au-dessus des escargots. Servez aussitôt.

Dans l'Antiquité, on pensait que les escargots guérissaient les maux d'estomac. On conseillait de les faire bouillir, de les griller sur la braise, d'en prendre un nombre impair et, encore mieux, de les avaler vivants avec du vinaigre !

Omelette aux escargots

❖ Battez les œufs avec du sel, du poivre et 1 cuillerée à soupe d'huile d'olive. Pelez l'ail, lavez le persil, hachez-les.

❖ Dans 1 cuillerée à soupe d'huile d'olive chaude, faites sauter rapidement les escargots avec l'ail et le persil, salez, poivrez. Versez les œufs. Confectionnez une omelette plate, sans la retourner.

Préparation et cuisson :
10 min

Pour 4 personnes
3 douzaines d'escargots
9 œufs
1 gousse d'ail
2 cuillerées à soupe d'huile d'olive
quelques branches de persil
sel, poivre

À savourer avec un côtes-du-rhône rouge pour la noblesse de ses tanins.

Talleyrand, hanté par le souvenir inoubliable d'un plat d'escargots, en demanda une recette à son cuisinier, qui lui proposa de rôtir les escargots comme des marrons. Talleyrand n'etant pas convaincu, Anacréon proposa alors de les farcir : ce sont les « escargots à la bourguignonne » que vous trouvez dans le commerce. Il suffit d'enlever la farce pour les accommoder à la crétoise. Ils sont meilleurs qu'en conserve.

Pilaf de petits-gris

Préparation : 45 min

Cuisson : 30 min

Pour 6 personnes
1 kg d'escargots lavés et nettoyés
500 g de tomates
200 g de riz lavé
2 petits oignons
20 cl d'huile d'olive
gros sel de mer, poivre

❖ Vérifiez que les escargots sont bien « operculés », c'est-à-dire fermés par une membrane. Cet opercule est la preuve que l'escargot a jeûné. Il est devenu maigre, donc comestible.

❖ Ôtez l'opercule, lavez les escargots à grande eau, laissez-les tremper dans une bassine, renouvelez l'eau souvent jusqu'à ce qu'il n'y ait plus de bave. Pour éviter que les escargots ne s'échappent, il suffit de mettre un peu de sel fin sur les rebords de la bassine.

❖ Faites chauffer 10 cl d'huile d'olive dans une cocotte. Jetez-y les escargots vivants. Faites cuire 5 minutes sur feu vif en remuant bien. Versez dans une passoire.

❖ Ébouillantez les tomates, égouttez-les, pelez-les et concassez la chair. Pelez les oignons et coupez-les en petits dés.

❖ Remettez 10 cl d'huile dans la cocotte. Faites-y blondir les oignons, ajoutez les tomates, salez au gros sel avec parcimonie, poivrez.

❖ Versez le riz égoutté, remuez bien. Ajoutez un 1/2 litre d'eau, du sel et du poivre.

❖ Mettez les escargots égouttés dans la cocotte et laissez ainsi mijoter à feu doux le temps de cuire le riz.

❖ Servez le pilaf avec des piques pour décoquiller les escargots et des rince-doigts.

À savourer avec un médoc pour sa robustesse.

Dans l'Antiquité, les escargots comptaient parmi les « aliments épais » au même titre que les fromages et les anguilles. Selon Pline l'Ancien, ils avaient des vertus thérapeutiques. Appliqués en onguent avec du safran, ils favoriseraient la conception. Au Moyen Âge, on les achète chez le poissonnier et on leur donne le nom de « viande maigre » tandis qu'au XVIIIe siècle ils deviennent « insectes à coquille ». Le petit-gris est un mollusque qui déteste les changements de température et hiberne dans sa coquille au moment des gelées.

Salade de pissenlits aux escargots

Préparation et cuisson : 30 min

Pour 6 personnes
300 g de pissenlits
6 douzaines d'escargots
1 gousse d'ail rose
5 cuillerées à soupe d'huile d'olive
1 cuillerée à soupe de vinaigre balsamique
quelques brins de ciboulette
sel, poivre

À savourer avec un vin rouge de Toscane pour son goût épicé.

❖ Enlevez les trognons et les feuilles flétries des pissenlits, lavez-les, mettez-les au frais dans un linge. Pelez l'ail. Lavez et hachez la ciboulette.

❖ Préparez une vinaigrette avec 4 cuillerées à soupe d'huile d'olive, le vinaigre, du sel et du poivre. Assaisonnez les pissenlits.

❖ Dans le reste de l'huile d'olive chaude, faites sauter 3 minutes les escargots avec le hachis de persil et d'ail. Salez, poivrez. Versez sur les pissenlits.

❖ Si vous ne trouvez que des escargots farcis, enlevez la farce, réservez-la pour une grillade, et préparez les escargots comme indiqué.

Au XVe siècle, la pauvreté pousse à manger de tout. Le Dr Jacques Dubois explique cependant que certaines précautions de jeûne doivent être appliquées aux nourritures grossières pour les rendre comestibles. C'est ainsi que couleuvres, limaçons et escargots sont consommés avec des plantes aromatiques. Au siècle suivant, ils sont mis en broche comme des rognons !

Tiropita

❖ Préchauffez le four à 200 °C (th. 7).

❖ Pelez et émincez finement les oignons. Faites chauffer l'huile d'olive dans une poêle et faites-y blondir 5 minutes les oignons.

❖ Préparez la farce : battez les œufs avec du sel, du poivre, l'aneth. Écrasez la féta dans un peu de lait, ajoutez-la aux œufs. Incorporez les oignons.

❖ Beurrez un moule rectangulaire. Déroulez les feuilles de philo. Déposez 6 feuilles de philo les unes sur les autres dans le moule en enduisant chacune de beurre fondu avec un pinceau. Tartinez de farce, recouvrez avec 6 feuilles que vous beurrerez au fur et à mesure, déposez de la farce et continuez ainsi jusqu'à épuisement des feuilles. Humectez d'eau la feuille du dessus avec vos doigts.

❖ Faites cuire 40 minutes au four, puis laissez reposer 10 minutes dans le four éteint.

Préparation : 30 min

Cuisson : 40 min

Pour 6 personnes
1 paquet de feuilles de philo
125 g de beurre fondu
200 g de féta
2 cuillerées à soupe de lait
3 œufs
2 oignons
2 cuillerées à soupe d'aneth frais haché
3 cuillerées à soupe d'huile d'olive
sel, poivre

À savourer avec un côtes-de-blaye pour sa souplesse.

Les feuilles de philo s'achètent dans les épiceries grecques et se conservent au frais. Le fait de les humecter évite que les bords ne se relèvent en cuisant. Elles permettent d'obtenir un feuilleté craquant.

Salade aux figues fraîches et jambon cru

Préparation : 10 min

Cuisson : sans

Pour 6 personnes
24 figues mûres
18 tranches de jambon cru coupé aussi fin que possible
6 feuilles de basilic

❖ Lavez les figues, essuyez-les, ouvrez-les légèrement en incisant leur centre en croix. Déposez-les sur les assiettes.

❖ Posez le jambon sur les figues. Décorez d'une feuille de basilic.

À savourer avec un pinot noir.

Au XIIIe siècle, les médecins conseillaient de manger le melon en entrée, assaisonné de sel et de poivre, saupoudré de gingembre ou accompagné de jambon cru pour diminuer ses prétendus effets nocifs.

Salade de figues au chèvre

❖ Rincez la salade, égouttez-la, mettez-la dans un linge au frais.

❖ Lavez les figues, essuyez-les, coupez-les en tranches moyennes. Cassez et concassez grossièrement les noix. Tranchez le fromage. Préparez une vinaigrette avec l'huile d'olive, le vinaigre, du sel et du poivre.

❖ Assaisonnez le mesclun avec la moitié de la vinaigrette. Dressez dans les assiettes. Faites alternez les tranches de figues avec le fromage. Arrosez avec le reste de la vinaigrette et décorez avec les noix.

Préparation : 10 min

Cuisson : sans

Pour 6 personnes

250 g de mesclun
12 figues fraîches bien mûres
3 fromages de chèvre frais
6 noix
3 cuillerées à soupe d'huile d'olive
1/2 cuillerée à soupe de vinaigre balsamique
sel, poivre

À savourer avec un jurançon.

Cette recette a une origine très ancienne. Dans la Rome antique, on dégustait déjà le fromage avec des figues sèches. Pline expliquait que c'était pour économiser le sel, alors denrée fort précieuse.

Féta en aumônière de figue

Préparation : 10 min

Cuisson : 2 min

Pour 6 personnes
18 belles figues fraîches
100 g de féta
2 cuillerées à soupe d'huile d'olive
sel, poivre

À savourer avec un chinon rouge.

❖ Coupez la féta en cubes. Lavez les figues, essuyez-les, découpez un chapeau. Enfoncez dans chaque figue un cube de féta. Salez légèrement, poivrez. Reposez le chapeau.

❖ Avec un pinceau, passez un peu d'huile d'olive au fond d'un joli plat à feu ovale. Rangez-y les figues farcies. Repassez votre pinceau sur les figues.

❖ Allumez le gril du four. Glissez le plat 2 minutes sous le gril pour que le fromage soit fondu et les fruits légèrement dorés. Pendant que vous laissez les convives s'installer, surveillez la cuisson.

❖ Si vous êtes à la campagne, garnissez chaque assiette d'une feuille de figuier et déposez délicatement trois figues sur chacune.

Depuis l'Antiquité, on reconnaît aux figues des vertus nutritives. Rufus, médecin en exercice au Ier siècle après J.-C., les recommande fraîches aux jeunes filles. Quand elles sont sèches, les figues sont plus nourrissantes et, de ce fait, prescrites aux athlètes.

Salade acidulée au haddock

❖ La veille, lavez les poivrons et faites-les griller sous le gril du four, en les tournant régulièrement jusqu'à ce que la peau noircisse. Pelez-les, enlevez les pépins, coupez-les en fines lanières, recouvrez-les avec 1 cuillerée à soupe d'huile, salez, poivrez. Réservez au frais.

❖ La veille également, pelez les pommes, coupez-les en quartiers. Pelez les oranges et 2 citrons à vif, séparez les quartiers et retirez-en la peau. Mettez 1 cuillerée à soupe d'huile d'olive dans une sauteuse, faites-y revenir 5 minutes les fruits salés et poivrés. Réservez au frais.

❖ Le jour même, enlevez la peau du haddock, rincez-le, épongez-le. Une heure avant le repas, escalopez le poisson en tranches fines, arrosez du jus du citron restant. Laissez macérer au frais.

❖ Assaisonnez les salades avec le reste de l'huile, le vinaigre, du sel et du poivre.

❖ Présentez dans les assiettes avec d'un côté les poivrons, de l'autre les fruits et le haddock au milieu. Ciselez le persil au-dessus.

Préparation : 25 min

Cuisson : 20 min

Macération : 1 h

Pour 6 personnes
1 beau filet de haddock (300 g)
250 g de salades mélangées
2 pommes acides (granny-smith)
2 oranges
3 citrons
2 poivrons rouges
4 cuillerées à soupe d'huile d'olive
1 cuillerée à soupe de vinaigre balsamique
quelques brins de persil plat
sel, poivre

À savourer avec un côtes-du-roussillon rosé.

Fassolada

Préparation : 30 min

Trempage des haricots : 12 h

Cuisson : 1 h 30

Pour 6 à 7 personnes
500 g de haricots blancs (lingots)
500 g de tomates
1 citron
1 botte de petites carottes
1 oignon
1/2 céleri
1 feuille de laurier
1 cuillerée à soupe d'huile d'olive
1 cuillerée à café de gros sel gris
poivre

À savourer avec un corbières rouge.

❖ La veille, mettez les lingots dans une jatte d'eau froide et laissez-les tremper 12 heures.

❖ Le jour même, ébouillantez les tomates, égouttez-les, pelez-les, coupez-les en petits morceaux. Pelez l'oignon. Grattez les carottes, coupez-les en rondelles. Effilez les branches de céleri et coupez-les en lamelles.

❖ Faites dorer l'oignon dans l'huile d'olive chaude, ajoutez les lingots égouttés et les tomates. Remuez bien. Ajoutez les carottes et le céleri. Remuez. Versez de l'eau à hauteur des haricots, ajoutez le laurier et laissez cuire 1 h 30 à feu doux.

❖ À mi-cuisson, salez avec le gros sel, poivrez et ajoutez éventuellement de l'eau. Versez le jus du citron en fin de cuisson.

Le haricot est rapporté d'Amérique par Christophe Colomb. Aussitôt apprécié, il est accommodé comme les asperges. On lui donne le nom de « fèverole ». Gros et blanc, c'est le coco. Plus allongé, c'est le lingot, utilisé pour ce plat qui doit avoir la consistance d'une soupe épaisse.

Buisson de mesclun aux langoustines

❖ Rincez le mesclun, égouttez-le, mettez-le au frais dans un linge. Lavez les tomates, épongez-les. Pressez le citron. Pelez les avocats, émincez-les en tranches fines, aspergez-les de quelques gouttes de citron et d'huile d'olive.

❖ Décortiquez les langoustines. Mettez-les au frais avec un trait d'huile d'olive. Poivrez.

❖ Préparez une vinaigrette avec le reste de l'huile d'olive et du jus de citron, salez, poivrez. Assaisonnez-en le mesclun. Déposez un lit de mesclun dans les assiettes. Au centre, rangez les tranches d'avocat.

❖ Poêlez les queues de langoustine 1 minute de chaque côté dans une poêle à revêtement antiadhésif. Posez les langoustines en étoile sur la salade, disposez les tomates autour. Ciselez les feuilles de basilic au-dessus des assiettes.

Préparation : 25 min

Cuisson : 2 min

Pour 6 personnes
24 langoustines crues
300 g de mesclun
3 avocats
1 barquette de tomates cerises
1 citron
5 cuillerées à soupe d'huile d'olive
quelques feuilles de basilic frais
gros sel gris, sel fin, poivre

À savourer avec un pinot noir.

Le mesclun est un mélange de salades, principalement de jeune laitue, de dent-de-lion et de roquette. Comme la roquette a un goût poivré et chaud, elle est associée à la laitue dont la saveur est froide. On prêtait jadis à la roquette des vertus amaigrissantes, stomachiques et aphrodisiaques.

Soupe de lentilles

Préparation : 20 min

Cuisson : 1 h

Pour 6 à 8 personnes
500 g de lentilles vertes du Puy
500 g de tomates
1 carotte
1 pomme de terre
1 oignon
3 gousses d'ail
2 feuilles de laurier
2 cuillerées à soupe d'huile d'olive
1 cuillerée à soupe de vinaigre de xérès
sel, poivre

À savourer avec un côte-de-blaye pour sa souplesse.

❖ Plongez les lentilles dans 3 litres d'eau froide, faites-les cuire 30 minutes, puis égouttez-les.

❖ Pendant ce temps, ébouillantez les tomates, pelez-les, coupez-les en dés. Grattez la carotte, pelez la pomme de terre, coupez ces légumes en dés. Pelez et émincez l'ail et l'oignon.

❖ Faites chauffer l'huile d'olive dans une cocotte, versez-y les lentilles égouttées, la carotte, la pomme de terre et l'ail. Mélangez bien. Ajoutez les tomates, l'oignon, le laurier, mélangez de nouveau. Salez, poivrez. Versez de l'eau à hauteur, ajoutez 1 cuillerée à soupe de vinaigre, couvrez et laissez cuire doucement 30 minutes. Servez chaud.

Galien en exercice à Rome dans la seconde moitié du IIe siècle après J.-C. prescrivait des aliments « incrassants » comme les légumes secs. En général, tous les médecins romains reconnaissaient aux lentilles un pouvoir nourrissant mais ils leur reprochaient de nuire à la vue. Rassurez-vous, il n'en est rien.

Poisson mariné

❖ Deux jours à l' avance, mélangez l'aneth, l'huile d'olive, le gros sel, le poivre concassé et le sucre.

❖ Versez le tiers du mélange dans une terrine. Posez-y le premier filet de poisson, couvrez avec la moitié du reste du mélange, posez le second filet de poisson, versez le reste du mélange. Recouvrez d'une feuille d'aluminium, posez un poids dessus et laissez 2 jours au frais.

❖ Le jour même, retirez le poisson de la terrine en l'égouttant. Posez-le sur une planche, escalopez-le en tranches fines. Présentez les tranches de poisson en les faisant se chevaucher l'une sur l'autre sur deux rangées. Recouvrez d'un peu de jus de macération. Servez avec des tranches de pain grillé.

Préparation : 10 min

Cuisson : sans

Macération : 48 h

Pour 6 à 8 personnes
500 g de loup en filets sans la peau
1 cuillerée à café d'aneth frais haché
6 cuillerées à soupe d'huile d'olive
3 cuillerées à café de sucre
4 cuillerées à café de gros sel gris
1 cuillerée à soupe de grains de poivre concassés

À savourer avec un gaillac rosé.

Les Romains distinguaient deux poivres : le long, cueilli mûr et grillé au soleil, le blanc cueilli vert. De notre côté, nous distinguons le poivre noir, dont les baies sont séchées avant maturité, du blanc plus doux. Le plus simple est de mélanger les deux dans le moulin à poivre. Ajoutez des graines de coriandre et de piment de la Jamaïque, et vous apporterez une touche crétoise à votre assaisonnement.

Flans de morue à l'effilochée d'endive

Préparation : 15 min

Dessalage de la morue : 15 h au moins, la veille

Cuisson : 25 min dont 20 min au bain-marie

Pour 6 personnes

150 g de morue séchée
2 œufs entiers et 3 jaunes
3 endives
1 litre de lait
1/2 citron
6 pincées de fromage de brebis râpé (pecorino)
1 gousse d'ail
quelques pluches de cerfeuil
1 feuille de laurier
quelques graines de fenouil
1 noix de beurre
2 cuillerées à soupe d'huile d'olive
sel, poivre, noix muscade, paprika

❖ La veille, grattez la morue pour enlever le sel, mettez-la dans de l'eau froide. Renouvelez l'eau toutes les 3 heures. La quatrième fois, mettez la morue dans de l'eau additionnée de 25 cl de lait. Le poisson doit tremper au moins 15 heures.

❖ Le jour même, rincez la morue à grande eau, enlevez la peau et les arêtes. Découpez-la en trois morceaux. Pelez la gousse d'ail, ôtez le germe, écrasez-la du plat de la lame d'un couteau.

❖ Mettez la morue dans 25 cl de lait froid avec l'ail, le laurier, le fenouil et 1 cuillerée à soupe d'huile d'olive. Poivrez, ajoutez 1 ou 2 pincées de noix muscade.

❖ Portez doucement à ébullition. Dès que le lait frémit, stoppez le feu et laissez tiédir.

❖ Retirez le poisson avec une écumoire, réservez dans une passoire. Faites réduire 5 minutes le liquide de cuisson de moitié. Hors du feu, saupoudrez de paprika. Effeuillez la morue.

❖ Préchauffez le four à 200 °C (th. 6-7). Faites bouillir 50 cl de lait. Battez les œufs entiers et les jaunes avec du sel et du poivre. Versez-les dans le lait en fouettant bien l'ensemble. Ajoutez le poisson. Beurrez 6 ramequins allant au four. Remplissez-les avec la préparation. Faites cuire 20 minutes au four, au bain-marie.

À savourer avec un rioja pour ses effluves capiteux.

❖ Lavez les endives, coupez-les en julienne, arrosez-les du jus de citron. Faites-les blondir doucement 5 minutes dans 1 cuillerée à soupe d'huile d'olive chaude.

❖ Sortez les ramequins. Passez la lame d'un couteau le long des parois. Attendez quelques minutes, le temps de passer à table. Posez une assiette sur chaque ramequin, retournez-la rapidement pour démouler le flan. Mettez quelques endives autour, versez un peu de sauce, décorez de pluches de cerfeuil et servez aussitôt.

Les épices étaient déjà très prisées au XIVe siècle. Jeanne d'Évreux, dont le cuisinier Guillaume Tirel reçut le nom de Taillevent, en était friande. L'inventaire après décès a révélé dans sa cuisine : 6 livres de poivre, 1 quarteron et demi de macis, 23 livres et demie de gingembre, 1 livre et quart de safran.

Beignets de morue

Préparation : 20 min

Dessalage de la morue : 15 h au moins, la veille

Cuisson : 5 min

Pour 4 personnes
500 g de morue séchée
25 cl de lait
25 cl d'eau
120 g de farine
1 œuf
10 cl d'huile d'olive
poivre

À savourer avec un vin rouge du Frioul.

❖ La veille, grattez la morue pour enlever le sel, mettez-la dans de l'eau froide, laissez-la tremper. Changez l'eau toutes les 2 ou 3 heures pour bien dessaler le poisson. La quatrième fois, mettez la morue dans un mélange d'eau et de lait à parts égales. La morue doit tremper au moins 15 heures.

❖ Le jour même, rincez la morue à grande eau, enlevez la peau et les arêtes, effeuillez-la. Battez l'œuf avec du poivre. Mettez la farine dans une jatte. Ajoutez l'œuf et 15 cl d'eau progressivement, mélangez vivement à la spatule les éléments pour obtenir une pâte liquide, ajoutez la morue.

❖ Mettez l'huile à chauffer dans une sauteuse. Prélevez un peu de pâte avec une cuillère à soupe et faites-la glisser d'un doigt dans l'huile. Plongez ainsi quelques boulettes et faites-les dorer de toutes parts environ 1 minute. Posez-les au fur et à mesure de leur cuisson sur du papier absorbant. Faites cuire toutes les boulettes de la même façon.

❖ Servez ces beignets chauds avec du mesclun et une vinaigrette au citron.

Prisée en Crète, la morue, bakaliaros, *est importée d'Islande.*

Moules aux petits légumes safranés

❖ Lavez et préparez les légumes, coupez-les en fine julienne. Effeuillez l'estragon, réservez les tiges. Pelez les échalotes, hachez-les.

❖ Grattez les moules, lavez-les soigneusement, jetez celles qui sont ouvertes. Faites bouillir le vin avec 1 échalote. Jetez-y les moules et laissez-les ouvrir à feu vif. Retirez-les avec une écumoire, filtrez le jus à travers une passoire tapissée d'une gaze. Éliminez les coquilles.

❖ Dans l'huile d'olive chaude, mettez la seconde échalote hachée, les tiges d'estragon et les filaments de safran. Laissez cuire jusqu'à ce que l'échalote devienne translucide. Ajoutez la julienne de légumes, salez, poivrez et laissez cuire doucement 4 minutes (davantage si les légumes sont coupés plus gros). Hors du feu, ajoutez les moules. Saupoudrez de feuilles d'estragon et servez tiède.

Préparation et cuisson :
30 min

Pour 6 personnes
2 kg de moules
2 échalotes
1 blanc de poireau
2 carottes
2 branches de céleri
10 cl de vin blanc sec
1 cuillerée à soupe d'huile d'olive
quelques branches d'estragon
12 filaments de safran
sel, poivre

À savourer avec un côtes-du-luberon pour la fermeté de ses tanins.

Le safran est une épice précieuse. Dans le Lot, on le cultivait dans les jardins. C'est ainsi que, du XIIIe au XIXe siècle, s'est déployée l'histoire de l'« or rouge » du Quercy. Cette histoire renaît aujourd'hui. Les producteurs coupent les fleurs le matin.

Moules farcies

Préparation : 1 h

Cuisson : 25 min

Pour 4 personnes
1 kg de moules d'Espagne
2 oignons
3 tomates
150 g de riz lavé
1 citron
10 cl de vin blanc
6 branches de persil
3 branches de menthe
10 cl d'huile d'olive
sel, poivre

❖ Grattez et nettoyez les moules soigneusement. Ouvrez-les au-dessus d'un récipient avec un couteau à lame large pour récupérer leur jus, en prenant soin de bien détendre le nerf qui retient les deux coquilles, sans les séparer.

❖ Pelez les oignons, coupez l'un en petits dés, l'autre en rondelles épaisses. Ébouillantez les tomates, pelez-les, concassez-les. Lavez, épongez le persil et la menthe, hachez-les finement séparément.

❖ Faites chauffer 4 cuillerées à soupe d'huile d'olive dans une sauteuse, faites-y blondir l'oignon en dés. Ajoutez les tomates et la moitié du persil, salez, poivrez, remuez quelques secondes, versez le riz. Laissez cuire 10 minutes jusqu'à absorption du liquide. Surveillez. Au besoin, ajoutez un peu d'eau. Le riz doit rester croquant sous la dent.

❖ Remplissez les coquilles des moules avec la farce, refermez-les solidement.

❖ Versez un fond d'huile d'olive dans un récipient rond pas trop haut, faites un lit avec l'oignon émincé. Posez les moules dessus en les tassant bien.

❖ Coupez une moitié de citron en tranches, posez-les sur les moules. Ajoutez le reste du persil, la menthe, l'eau des moules filtrée à travers une passoire tapissée d'une gaze, 3 cuillerées à soupe d'huile d'olive, le jus de la seconde moitié de citron et le vin blanc. Rectifiez l'assaisonnement. Posez une assiette et un poids dessus. Laissez cuire le riz encore une dizaine de minutes à feu doux.

❖ Présentez les moules dans les assiettes avec un peu de jus de cuisson dessus et le riz à côté.

À savourer avec un côtes-de-bourg pour la finesse de ses tanins.

Les Crétois font sécher la menthe chez eux comme le raconte Nikos Kazantzakis. « C'est une grande joie d'entrer dans une maison de paysans crétois. Tout ce qui vous entoure est patriarcal : la cheminée, la lampe à huile, les jarres alignées le long du mur, une table, quelques chaises et, à gauche en entrant, dans un creux du mur, la cruche d'eau fraîche. Aux poutres pendent des chapelets de coings, de grenades et de plantes aromatiques : sauge, menthe poivrée, romarin, sarriette... »

Chiffonnade de salades aux noix

Préparation : 10 min

Cuisson : 5 min

Pour 6 personnes
150 g de mâche en paquet
1 botte de cresson
3 endives
12 noix
6 œufs de ferme
1 citron
3 cuillerées à soupe d'huile d'olive
quelques pluches de cerfeuil
sel, poivre

À savourer avec une eau pétillante très légère, comme par exemple la saint-amand.

❖ Ôtez les tiges dures du cresson. Lavez les salades, égouttez-les. Coupez les endives en fines lanières. Préparez la vinaigrette avec l'huile d'olive et le jus du citron. Cassez les noix.

❖ Mettez les œufs dans une casserole d'eau salée. Faites chauffer et laissez bouillir doucement 5 minutes. Laissez reposer hors du feu 1 minute, puis retirez les œufs et passez-les sous l'eau froide. Écalez-les.

❖ Assaisonnez les salades, disposez-les dans les assiettes et posez 1 œuf mollet au milieu. Mettez les noix autour. Parsemez de pluches de cerfeuil.

Au XIIIe siècle, « l'huilier » qui vendait les noix proposait aussi amandes, pavot et huile d'olive. Le vinaigre, lui, était acheté chez le « vinaigrier », reconnaissable à sa brouette, son bonnet rouge et son tablier !

Délice aux noix

❖ Roulez le fromage dans la chapelure (ou 1 biscotte écrasée) et le paprika. Salez légèrement, poivrez.

❖ Préparez l'assaisonnement pour la salade avec la moitié de l'huile d'olive et quelques gouttes de jus de citron.

❖ Cassez les noix. Mettez la salade dans l'assiette, assaisonnez-la.

❖ Faites chauffer le reste de l'huile d'olive dans une poêle, faites-y dorer le chèvre rapidement, sans le laisser couler, 10 secondes sur chaque face. Posez-le sur la salade. Décorez avec les cerneaux de noix.

Préparation : 5 min

Cuisson : 1 min

Pour 1 personne

1 fromage de chèvre mi-frais
1 belle poignée de mesclun
2 noix
1/2 citron
2 cuillerées à soupe d'huile d'olive
chapelure
paprika,
sel, poivre

À savourer avec un vin tannique comme le buzet.

On trouve des noix fraîches en septembre : elles ont alors plus de 20 % d'eau. Passé le 15 novembre, elles sont sèches : leur taux d'humidité atteignant 12 %.

Terrine de betterave au chèvre et aux noix

Préparation : 10 min

Cuisson : 2 h

Pour 6 personnes

3 betteraves moyennes, crues
200 g de brousse
6 noix
3 cuillerées à soupe d'huile d'olive
1 cuillerée à soupe de vinaigre ordinaire
1/2 cuillerée à soupe de vinaigre balsamique
sel, poivre

À savourer avec un brouilly.

❖ Faites chauffer 2 litres d'eau salée et ajoutez le vinaigre ordinaire. Plongez-y les betteraves et laissez cuire jusqu'à ce que la peau se détache quand vous la grattez. Comptez environ 2 heures.

❖ Égouttez les betteraves dans une passoire et laissez-les tiédir.

❖ Cassez les noix, décortiquez-les et concassez-les grossièrement.

❖ Pelez les betteraves, coupez-les en rondelles, mettez-les dans une terrine en alternant avec de fines lamelles de brousse et des noix. Salez et poivrez entre chaque couche.

❖ Préparez une vinaigrette avec l'huile d'olive, le vinaigre balsamique, du sel et du poivre. Versez sur la terrine, mettez au frais.

Les Crétois consomment beaucoup de noix fraîches. Ils aiment aussi la betterave et apprécient les fromages de chèvre... trois ingrédients qu'il n'est pas difficile d'associer dans une salade.

Omelette aux pignons

❖ Rincez et hachez le basilic. Battez les œufs en omelette avec du sel et du poivre, puis ajoutez le basilic.

❖ Faites dorer les pignons quelques secondes dans 1 cuillerée à soupe d'huile d'olive chaude, ajoutez-les aux œufs.

❖ Faites chauffer 1 cuillerée à soupe d'huile d'olive dans la poêle, versez-y la préparation. Couvrez le temps que l'omelette cuise. Inutile de la retourner, ni de la rouler. Les Crétois mangent l'omelette plate. Faisons comme eux. Simple.

Préparation : 5 min

Cuisson : 5 min

Pour 2 personnes
5 œufs de ferme
5 cuillerées à soupe rases de pignons de pin
2 cuillerées à soupe d'huile d'olive
1 branche de basilic
sel, poivre

À savourer avec un bourgueil pour l'onctuosité de ses tanins.

Les pignons étaient employés à Rome aussi bien en cuisine qu'en médecine. Cuits dans du miel, ils étaient prescrits contre la toux. Le pin était aussi important que l'olivier : au moment des compétitions Isthmiques, un rameau était posé sur la tête de l'athlète vainqueur.

Purée de pois chiches

Préparation : 15 min

Trempage des pois chiches : 6 à 8 h

Cuisson : 1 h 30

Pour 8 personnes
500 g de pois chiches
3 citrons
10 cl d'huile d'olive
10 cl de tahina, préparation à base de graines de sésame pilées (dans les épiceries orientales)
2 gousses d'ail
1 cuillerée à café de gros sel gris
paprika, sel, poivre

À savourer avec un côte-rôtie.

❖ La veille, mettez les pois chiches dans une grande jatte d'eau froide. Laissez-les tremper 6 heures au minimum.

❖ Le jour même, égouttez les pois chiches, mettez-les dans 1 litre et demi d'eau, portez à ébullition et laissez cuire 2 heures, jusqu'à ce qu'ils soient tendres. Salez avec le gros sel un peu avant la fin de la cuisson.

❖ Égouttez les pois chiches, passez-les au mixeur avec l'huile d'olive, la tahina, l'ail pelé, le jus des citrons, du sel et du poivre. Versez un peu d'eau pour liquéfier la purée. Mettez en terrine. Saupoudrez d'une traînée de paprika.

Dans l'Antiquité, on faisait lever la farine de pois chiches avec laquelle on confectionnait des « pains du diable ». Au IVe siècle après J.-C., Oribase conseillait surtout la consommation de pois chiches en cas de déficiences sexuelles.

Duo de poivrons grillés

❖ Allumez le gril.

❖ Passez les poivrons sous l'eau fraîche, essuyez-les, placez-les sous le gril. Dès qu'ils noircissent, retournez-les. Procédez ainsi jusqu'à ce que la peau soit brûlée de chaque côté. Posez-les dans un plat et attendez qu'ils refroidissent.

❖ Pendant ce temps, préparez la vinaigrette. Pelez l'ail, hachez-le finement et mettez-le dans la vinaigrette.

❖ Pelez les poivrons, enlevez les pépins en recueillant le jus au-dessus d'une terrine. Émincez la chair en fines lanières, placez celles-ci dans la terrine, recouvrez-les de vinaigrette. Ciselez le persil au-dessus, couvrez et mettez quelques heures au frais.

Préparation : 10 min

Cuisson : 15 min

Réfrigération : quelques heures

Pour 6 personnes
2 poivrons verts
2 poivrons rouges
1 gousse d'ail
(sans germe)
4 cuillerées à soupe
d'huile d'olive
1 cuillerée à soupe
de vinaigre de xérès
quelques brins de persil
sel, poivre

À savourer avec un irouléguy.

Les poivrons cuits ainsi sont confits. Ils rendent un jus qui apporte de la douceur à l'assaisonnement. C'est du printemps jusqu'à octobre que le poivron est le meilleur. Le rouge est plus doux, le vert plus amer, le jaune plus juteux. On peut fort bien mélanger les trois dans cette salade, mais tous doivent être bien fermes et brillants à l'achat.

Omelette typique aux frites

Préparation : 10 min

Cuisson : 15 min

Pour 2 personnes
3 œufs
2 pommes de terre (charlottes de Noirmoutier)
4 cuillerées à soupe de lait
2 pincées de fromage râpé (parmesan ou pecorino)
10 cl d'huile d'olive
quelques feuilles de menthe
sel, poivre, noix muscade

À savourer avec un gaillac pour sa robustesse.

❖ Épluchez les pommes de terre, essuyez-les, taillez-les en frites un peu épaisses et enveloppez-les dans un torchon.

❖ Faites chauffer une bonne quantité d'huile d'olive dans une sauteuse, ajoutez-y les frites, laissez-les dorer une dizaine de minutes, puis égouttez-les sur du papier absorbant.

❖ Battez les œufs en omelette avec du sel, du poivre, de la noix muscade, le fromage, la menthe et le lait.

❖ Faites chauffer 1 cuillerée à soupe d'huile d'olive dans une poêle, versez-y les œufs et les frites et faites cuire l'omelette comme une galette.

Cette entrée roborative est servie en Crète comme repas principal avec une salade. Elle n'aurait pas déplu à Jean-Jacques Rousseau, qui se désolait des méfaits de la civilisation et, le plus souvent, se régalait d'œufs, de pain, d'un morceau de fromage et d'un verre de vin rouge ordinaire. Une simplicité spartiate qui n'est pas sans évoquer le régime crétois, hormis l'absence des légumes, de l'huile d'olive et des aromates.

Soupe avgolemono aux petits légumes

Préparation : 30 min

Cuisson : 40 min

Pour 6 personnes
1 cuisse de poulet fermier
2 cuillerées à soupe de riz lavé
3 pommes de terre
3 petites carottes
1/2 céleri
2 œufs
1 citron et demi
1,5 cuillerée à soupe d'huile d'olive
1 cuillerée à café de gros sel gris
poivre

À savourer avec un saumur pour la noblesse de ses tanins.

❖ Mettez le poulet dans 1,5 litre d'eau froide avec le gros sel, 1 cuillerée à soupe d'huile d'olive et du poivre. Laissez cuire doucement 15 minutes dès l'ébullition, en écumant si cela est nécessaire. Puis enlevez le poulet avec une écumoire, ôtez la chair et émincez-la.

❖ Grattez les carottes, coupez-les en bâtonnets. Nettoyez les branches de céleri, coupez-les en lamelles. Pelez et lavez les pommes de terre, coupez-les en dés.

❖ Ajoutez tous les légumes dans le bouillon ainsi que la chair du poulet et le riz. Poursuivez la cuisson le temps que le riz et les légumes soient à point.

❖ Préparez la soupe avgolemono : battez les œufs avec du sel et du poivre dans une soupière. Ajoutez le jus du citron puis, louche à louche, le bouillon, en fouettant bien afin que les œufs ne coagulent pas.

❖ Préparez dans une saucière du jus de citron et quelques gouttes d'huile d'olive et présentez-la en même temps que la soupe.

Au XIXe siècle, les livres de cuisine donnaient des recettes de potages grecs : à base de viande, de riz, assaisonnés de persil et coriandre.

Salade de pourpier à la menthe

Préparation : 15 min

Cuisson : 15 min

Pour 6 personnes
300 g de pourpier
6 pommes de terre nouvelles
2 belles tomates
1 gousse d'ail rose
6 branches de menthe fraîche
5 cuillerées à soupe d'huile d'olive
1 cuillerée à soupe de vinaigre de vin
1 cuillerée à café de gros sel
sel, poivre

À savourer avec un mâcon-villages.

❖ Équeutez et rincez le pourpier, égouttez-le, hachez-le grossièrement avec la menthe. Réservez dans un linge. Hachez l'ail finement. Rincez les tomates, essuyez-les et coupez-les en rondelles.

❖ Mettez les pommes de terre à cuire dans de l'eau bouillante salée 15 minutes environ, selon leur grosseur. Pelez-les, coupez-les en rondelles moyennes.

❖ Préparez une vinaigrette, ajoutez l'ail et assaisonnez-en le pourpier, les tomates et les pommes de terre. Mélangez bien et servez.

En Crète, le pourpier pousse à l'état sauvage. Il peut se prêter à toutes sortes de préparations. De très anciennes recettes provençales proposent de le plonger quelques minutes dans de l'eau bouillante, de l'ajouter à un bouillon de volaille, de lier la préparation avec des jaunes d'œufs et de la crème, puis de passer le tout au travers d'une mousseline.

Salade de pourpier aux jeunes fèves

❖ Lavez la salade, mettez-la au frais dans un torchon. Pressez l'un des citrons, coupez l'autre en deux. Écossez les févettes et les pois.

❖ Cassez la tige des artichauts, coupez les feuilles aux deux tiers supérieurs, enlevez le foin central et citronnez les fonds. Coupez-les en deux et émincez-les en tranches fines.

❖ Dans un saladier, préparez la vinaigrette avec sel, poivre, cumin, huile d'olive et jus de citron. Versez la salade, les artichauts, les pois et les fèves, mélangez délicatement.

❖ Répartissez le mélange dans les assiettes. Coupez le pecorino en fines lamelles et répartissez celles-ci sur la salade.

Préparation : 40 min

Cuisson : sans

Pour 6 personnes
250 g de pourpier (ou de mesclun)
6 petits artichauts « violets de Toscane »
500 g de toutes jeunes fèves
500 g de tout petits pois frais
100 g de pecorino (fromage sicilien de brebis)
2 citrons
1 cuillerée à café de graines de cumin
6 cuillerées à soupe d'huile d'olive
sel, poivre

À savourer avec un côtes-du-rhône.

Du temps de l'Empire romain, l'artichaut était prescrit aux personnes âgées, flegmatiques ou mélancoliques. Au XVIIe siècle, jugé trop aphrodisiaque, il est interdit aux jeunes filles !

Salade tiède de pommes de terre au pourpier

Préparation : 10 min

Cuisson : 20 min

Pour 6 personnes
6 filets d'anchois au sel
6 petites poignées de pourpier
18 petites pommes de terre nouvelles
6 cuillerées à soupe d'huile d'olive
2 cuillerées à soupe de vinaigre de vin
poivre

À savourer avec un pomerol.

❖ Lavez les pommes de terre, mettez-les dans de l'eau bouillante salée et laissez-les cuire 20 minutes. Retirez les pommes de terre, coupez-les rapidement en rondelles sans les peler.

❖ Lavez le pourpier et épongez-le. Passez les anchois sous l'eau en enlevant l'arête avec vos doigts, épongez-les puis écrasez-les au mortier.

❖ Préparez une vinaigrette avec l'huile d'olive, le vinaigre de vin et du poivre dans un saladier. Versez-y la purée d'anchois, le pourpier et les pommes de terre tièdes. Mélangez et servez aussitôt.

Le pourpier est largement consommé par les Crétois, que ce soit en salade ou en plat. C'est un légume doux qui ressemble au cresson mais dont le goût est plus fin. On trouve du pourpier en Provence, en Italie du Sud, au Portugal et de plus en plus souvent en France, au printemps et en été. Cette salade présente des petites feuilles arrondies et charnues d'un vert vif sur des tiges graciles.

Soupe de pourpier

❖ Épluchez les pommes de terre, coupez-les en six ou huit morceaux. Épluchez les poireaux, lavez-les, émincez-les grossièrement. Pelez l'ail, enlevez le germe. Rincez le pourpier et égouttez-le.

❖ Faites blondir les poireaux dans un peu d'huile d'olive chaude, ajoutez l'ail, versez 1 litre et demi d'eau, puis ajoutez les pommes de terre. Salez au gros sel et donnez 3 tours de moulin à poivre. Portez à ébullition et laissez cuire à petits bouillons 20 minutes.

❖ Ajoutez le pourpier dans la soupe, laissez cuire encore 3 minutes. Passez la soupe au moulin à légumes. Servez en ajoutant quelques gouttes d'huile d'olive par assiette.

Préparation : 20 min

Cuisson : 40 min

Pour 4 personnes
2 beaux poireaux
4 grosses pommes de terre
2 gousses d'ail
250 g de pourpier
2 cuillerées à soupe d'huile d'olive
1 cuillerée à café bombée de gros sel
poivre

À savourer avec un saint-émilion pour ses aimables tanins.

À Rome, il existait une espèce de pourpier appelé « péplis ». On le disait souverain contre les ulcères. Faute de pourpier, achetez du cresson. Au XVIIIe siècle, William Smellie, médecin, attribue au cresson le pouvoir de faire maigrir. À vérifier.

Salade à la ricotta

Préparation : 5 min

Cuisson : sans

Pour 6 personnes
250 g de ricotta (fromage frais de brebis italien)
18 tranches de jambon cru coupé aussi fin que possible
3 cuillerées à soupe d'huile d'olive
1/2 cuillerée à soupe de vinaigre balsamique
poivre,
fleur de sel

À savourer avec un orvietto rouge.

❖ Coupez la ricotta en tranches fines et répartissez celles-ci dans les assiettes.

❖ Posez le jambon sur la ricotta, comme du papier froissé.

❖ Préparez une vinaigrette avec l'huile d'olive, le vinaigre, très peu de sel et du poivre.

❖ Servez avec d'un côté la vinaigrette, de l'autre la fleur de sel.

Cette salade simplissime peut devenir plat d'été, servie avec des tranches de melon. Dans l'Antiquité, on disait que le fromage frais, peu salé, était le meilleur. Il était employé aussi bien dans la cuisine, en préparations salées ou sucrées, que dans le bain, en friction. C'est le cas du mizithra *crétois.*

Terrine de tarama et blinis

❖ Arrosez le pain de mie avec le lait tiède. Pelez et râpez l'oignon. Retirez la peau qui enferme les œufs de cabillaud. Pressez la mie de pain pour ôter l'excédent de liquide.

❖ Mixez les œufs de cabillaud et le pain, ajoutez l'oignon. Montez le tout comme une mayonnaise avec le jaune d'œuf, le jus des citrons et l'huile d'olive versée en filet. Poivrez. Ajoutez une 1/2 tasse à café d'eau pour stabiliser l'émulsion. Mettez en terrine au frais une nuit.

❖ Préparez les blinis : délayez la levure dans un peu de lait tiédi. Cassez les œufs un par un dans une tasse en séparant les blancs des jaunes. Versez la levure dans un saladier. Ajoutez les jaunes d'œufs, salez, sucrez, mélangez. Versez l'huile goutte à goutte et remuez avec une spatule en bois. Ajoutez le reste du lait, la semoule, puis la farine en fouettant bien. Laissez reposer 1 heure.

❖ Après 1 heure de repos, montez les blancs d'œufs en neige ferme et incorporez-les délicatement à la pâte.

Préparation : 30 min

Repos de la pâte : 1 h

Cuisson : 10 min

Réfrigération : 12 h environ

Pour 8 à 10 personnes
200 g d'œufs de cabillaud fumés et salés
200 g de pain de mie sans croûte
25 cl de lait
1 petit oignon
1 jaune d'œuf
2 citrons
50 cl d'huile d'olive
poivre

Pour les blinis
50 cl de lait
300 g de farine
20 g de levure de boulanger fraîche
25 g de semoule de blé
2 œufs
1 cuillerée à café d'huile d'olive
5 g de sel
5 g de sucre

Terrine de tarama et blinis (suite)

À savourer avec un vin résiné rosé (retsina).

❖ Faites chauffer un peu d'huile dans une grande poêle à revêtement antiadhésif. Déposez-y 3 petites louches de pâte et laissez cuire 1 minute de chaque côté.

❖ Gardez ces blinis au chaud entre deux assiettes posées sur un bain-marie pendant la cuisson des autres blinis.

❖ Servez chaud avec le tarama bien frais.

Le véritable « tarama » qui sert de base à la confection du taramosalata *(que nous appelons improprement tarama) s'achète au détail dans les épiceries grecques. Ce sont des œufs de mulet conservés dans de la saumure ; ils sont très salés, et il n'en faut que très peu (1 à 2 cuillerées à café) pour préparer le* taramosalata. *La poutargue de Provence est composée d'œufs de mulet enrobés dans de la cire. Le mulet, ou muge, est un poisson à chair délicate qui se prépare comme le loup. Dans l'Antiquité, on lui prêtait des vertus nutritives particulières. Les cuisiniers conseillaient de le rôtir avec ses écailles pour ne pas altérer la subtilité de son goût.*

Cœurs de laitue au thon

❖ Lavez les cœurs de laitue sans les effeuiller, mettez-les au frais dans un linge. Pelez et hachez finement l'oignon. Égouttez le thon, mélangez-le à l'oignon. Lavez les tomates. Réservez au frais.

❖ Pressez le citron. Préparez la vinaigrette avec du sel, du poivre, 1 pincée de paprika, l'huile d'olive et le jus du citron. Coupez les cœurs de laitue en deux.

❖ Dans chaque assiette, mettez d'un côté 1/2 cœur de laitue, de l'autre du thon. Disposez 3 olives et 1 brin de persil d'une part, 1 tomate de l'autre. Versez la vinaigrette. Servez frais.

Préparation : 5 min

Cuisson : sans

Pour 6 personnes
200 g de thon émietté au naturel
3 cœurs de laitue bien tendres
6 petites tomates en grappes
18 olives noires ridées
1 petit oignon
1 citron
6 brins de persil
5 cuillerées à soupe d'huile d'olive
sel, poivre, paprika

À savourer avec un rosé de Provence pour sa légèreté.

On distingue quatre laitues en Grèce : la noire, la blanche, la rouge et celle dont les tiges sont si larges qu'elles deviennent matériau de construction. Toutes augmentent la qualité du sang. C'est pour cette raison qu'Oribase, attaché à la personne de l'empereur Julien en 355 après J.-C., la prescrivait aux nourrices.

Tomates tièdes au chèvre

Préparation : 15 min

Dégorgage des tomates : 1 h

Cuisson : 10 min

Pour 6 personnes

12 petites tomates mûres
6 fromages « rocamadours »
1 œuf
quelques brins de sarriette
sel, poivre

À savourer avec un tavel.

❖ Lavez les tomates, évidez-les avec une petite cuillère en prenant soin de ne pas abîmer la peau. Jetez les pépins mais réservez la chair. Saupoudrez l'intérieur des tomates d'une pincée de sel, retournez-les sur un plat. Laissez-les dégorger 1 heure au moins.

❖ Avec une fourchette, écrasez les fromages avec la pulpe des tomates et la sarriette. Salez et poivrez en quantité égale. Ajoutez l'œuf battu pour obtenir une pâte malléable mais assez compacte.

❖ Préchauffez le four à 160 °C (th. 5). Farcissez les tomates, mettez-les dans un joli plat allant au four. Faites cuire 10 minutes au four. Laissez tiédir quelques minutes dans le four éteint avant de présenter à table.

Le fromage de chèvre est connu depuis l'Antiquité. Au chant XI de l'Iliade, Hécamède prépare un breuvage pour désaltérer Nestor et Machaon. Pendant que les héros s'allongent sur des lits de repos, elle râpe du fromage de chèvre dans du vin de Praminos et saupoudre le liquide de farine.

Œufs brouillés aux tomates

❖ Ébouillantez les tomates, pelez-les, coupez-les en deux, pressez-les pour exprimer l'eau de végétation et les pépins, coupez la chair en petits morceaux. Pelez l'ail, écrasez-le du plat de la lame d'un couteau. Hachez le persil.

❖ Dans une cocotte, faites chauffer l'huile d'olive. Mettez-y les tomates et laissez-les sécher quelques minutes sur feu vif. Ajoutez l'ail, le sucre, du sel et du poivre. Laissez compoter doucement 25 minutes à demi couvert. Écrasez grossièrement à la spatule.

❖ Cassez les œufs un à un dans la cocotte, mélangez-les aux tomates jusqu'à ce qu'ils soient cuits. Rectifiez l'assaisonnement et saupoudrez de persil haché.

Préparation : 10 min

Cuisson : 30 min

Pour 6 personnes
1 kg de tomates mûres
12 œufs de ferme
1 gousse d'ail
1 cuillerée à café de sucre
2 cuillerées à soupe d'huile d'olive
quelques branches de persil
sel, poivre

À savourer avec un châteauneuf-du-pape pour son goût épicé.

Le 14 juillet 1790, les Marseillais montent à Paris pour célébrer la Fête de la Fédération. Tous les produits des régions françaises y sont présents, sauf les tomates encore suspectées de sorcellerie. Aussitôt les Marseillais demandent que des chariots de tomates soient envoyés dans la capitale. C'est ainsi que la « pomme d'amour » perd toute assimilation avec la mandragore.

Saint-Jacques en compotée de tomates

Préparation : 15 min

Cuisson : 25 min

Pour 6 personnes
24 grosses noix de coquilles Saint-Jacques
500 g de tomates
1 gousse d'ail
1 botte d'aneth
12 branches de persil
6 brins de menthe
6 cuillerées à soupe d'huile d'olive
1 cuillerée à soupe de gros sel gris,
poivre

À savourer avec un saint-émilion.

❖ Ébouillantez les tomates, égouttez-les, pelez-les, concassez-les dans une jatte. Pelez l'ail, rincez et égouttez les herbes dans un linge, et hachez le tout finement.

❖ Faites chauffer 4 cuillerées à soupe d'huile d'olive dans une sauteuse, versez les tomates, remuez quelques secondes. Ajoutez le hachis d'herbes et d'ail, salez, poivrez, couvrez à demi et laissez compoter 20 minutes.

❖ Faites chauffer 2 cuillerées à soupe d'huile d'olive dans une poêle antiadhésive avec le gros sel. Faites-y dorer les Saint-Jacques 2 minutes de chaque côté.

❖ Répartissez les noix de Saint-Jacques dans les assiettes et versez le coulis de tomates dessus.

Il existe des tomates jaunes, d'autres couleur bronze, certaines se parent d'une robe brune ou émeraude aux rayures dorées ou roses. Leurs formes sont variées : allongées comme les piments, renflées comme les poivrons ou, pour mieux nous tenter, en forme de cœur. À vous de faire votre choix entre la tomate des Andes, la tigerella, la poire rouge, la nova, la ponderheart, le téton de Vénus ou la marmande du Lot-et-Garonne... si vous en avez la possibilité.

Daurade à l'étouffée

❖ Préchauffez le four à 200 °C (th. 6-7).

❖ Ébouillantez les tomates, pelez-les, coupez-les en deux, pressez-les pour enlever les pépins et écrasez-les grossièrement. Pelez et émincez les oignons. Pelez et écrasez l'ail.

❖ Faites chauffer 2 cuillerées à soupe d'huile d'olive, faites-y blondir les oignons. Ajoutez les tomates et l'ail. Laissez compoter 25 minutes à feu doux. Salez, poivrez.

❖ Rincez la daurade et essuyez-la. Salez et poivrez. Versez 1 cuillerée à soupe d'huile d'olive dans la lèchefrite du four, posez-y la daurade, salez, poivrez. Recouvrez avec la purée de légumes. Faites cuire 30 minutes au four.

Préparation : 20 min

Cuisson : 55 min

Pour 4 personnes
1 daurade de 1,2 kg, vidée et écaillée
6 tomates
6 oignons
1 gousse d'ail
3 cuillerées à soupe d'huile d'olive
sel, poivre

À savourer avec un vin rouge de Provence.

C'est vers la fin de la République que le goût des poissons se développe à Rome, et pour faire face à la demande, on construit alors des piscicultures. Les Romains appréciaient l'esturgeon, le turbot, le brochet, le mulet mais aussi la daurade.

Daurade en habit vert et risotto d'épinards

Préparation : 30 min

Cuisson : 25 min

Pour 2 personnes
1 belle daurade en filets
200 g d'épinards
2 petites tomates
2 cuillerées à soupe de yaourt
2 brindilles de thym
1 feuille de laurier
sel, poivre

Pour le risotto
50 g d'épinards
1 tomate
1 petit oignon
50 g de riz lavé
1/2 citron
1 yaourt au lait de brebis
2 cuillerées à soupe d'huile d'olive
sel, poivre

❖ Préparez le risotto : équeutez, lavez et égouttez les épinards. Pelez l'oignon et hachez-le. Ébouillantez, pelez et concassez la tomate.

❖ Versez les épinards dans 2 cuillerées à soupe d'huile d'olive chaude, remuez bien. Ajoutez l'oignon, mélangez, mettez la tomate, salez, poivrez.

❖ Versez le riz et laissez sur feu doux jusqu'à ce qu'il soit cuit. Hors du feu, ajoutez le jus du demi-citron.

❖ Préchauffez le four à 250 °C (th. 8-9).

❖ Mettez une marmite d'eau salée sur le feu. Coupez et rincez les queues des épinards, plongez-les dans l'eau bouillante 3 minutes, égouttez-les et épongez-les.

❖ Ébouillantez et pelez les tomates, coupez-les en deux, enlevez les pépins, concassez la pulpe.

❖ Posez les feuilles d'épinard sur votre plan de travail de façon à confectionner 2 paupiettes. Salez, poivrez les filets de daurade.

❖ Posez les filets de daurade sur les épinards avec 1 cuillerée à soupe de yaourt, 1 brin de thym, 1/2 feuille de laurier et la moitié des tomates par paupiette. Repliez les feuilles sur le tout. Faites cuire 10 minutes au four.

❖ Servez le poisson avec le risotto. Présentez le yaourt au lait de brebis à part.

À savourer avec un châteauneuf-du-pape.

Le poisson a toujours tenu une grande place dans la civilisation crétoise. Les cachets de cire de la période minoenne sont ornés de poulpe, de thon, de dauphin, de phoque, de veau marin.

Soupe de poisson traditionnelle

Préparation : 30 min

Cuisson : 1 h

Pour 4 personnes
1 belle daurade
2 rougets-grondins moyens
1 petite rascasse
2 tomates
10 petites carottes
5 pommes de terre
2 oignons
1/2 céleri
2 cuillerées à soupe de riz lavé
2 œufs
1 citron
3 cuillerées à soupe d'huile d'olive
gros sel gris, poivre

❖ Ébouillantez les tomates, pelez-les et coupez-les en petits morceaux. Épluchez les pommes de terre et coupez-les en quatre. Pelez les oignons et émincez-les. Grattez et coupez les carottes en bâtonnets. Effilez les branches du céleri et coupez-les également en bâtonnets.

❖ Faites chauffer environ 2 litres d'eau dans une marmite. Ajoutez l'huile d'olive. Salez au gros sel.

❖ Dès l'ébullition, ajoutez les légumes et laissez-les cuire 30 minutes. Retirez les légumes avec une écumoire et mettez les poissons à la place. Salez, poivrez. Laissez cuire 15 minutes.

❖ Retirez les poissons avec l'écumoire. Dépouillez-les en gardant le plus possible de filets entiers. Passez le bouillon et les arêtes au tamis.

❖ Faites réchauffer le bouillon, ajoutez le riz et laissez cuire 10 minutes. Gardez quelques légumes pour la garniture, passez les autres au moulin à légumes, ajoutez-les au bouillon et laissez cuire 5 minutes supplémentaires. Vérifiez l'assaisonnement.

❖ Battez les œufs avec le jus du citron, ajoutez 1 cuillerée à soupe de bouillon, mélangez bien, rajoutez 1 cuillerée de bouillon, tournez, et ainsi de suite jusqu'à ce que le mélange soit bien chaud. Versez dans le bouillon et remuez.

❖ Faites deux services : d'abord le bouillon, ensuite les légumes et le poisson avec, à part, de l'huile d'olive, du citron et de la fleur de sel.

Pour servir
huile d'olive
citron
fleur de sel

À savourer avec un coteaux-d'aix rosé.

Dans l'Antiquité, les médecins prescrivaient déjà la fleur de sel. Ils en frictionnaient même les malades. La fleur de sel, quintessence du sel, doit être ajoutée sur les viandes et les poissons au moment de les servir.

Daurade royale et purée d'aubergines

Préparation : 20 min

Cuisson : 40 min

Pour 2 personnes
2 petites daurades royales, écaillées et vidées
3 aubergines
2 gousses d'ail
50 g de féta
6 brins de persil plat
quelques graines de fenouil
4 cuillerées à soupe d'huile d'olive
1 cuillerée à café de gros sel gris
fleur de sel,
sel, poivre

À savourer avec un dafnès rosé de Crète.

❖ Faites bouillir 1 litre d'eau dans une marmite avec le gros sel. Pelez les aubergines, coupez-les en dés. Versez-les dans l'eau bouillante, couvrez et laissez bouillir doucement 5 minutes. Versez les aubergines dans une passoire, pressez-les pour enlever l'excédent d'eau.

❖ Préchauffez le four à 150 °C (th. 5). Lavez le persil, pelez l'ail, enlevez le germe, hachez ensemble l'ail et le persil. Coupez la féta en dés. Versez 2 cuillerées à soupe d'huile d'olive au fond d'un plat, mettez les aubergines, le hachis d'ail et de persil, la féta et 1 cuillerée à soupe d'huile d'olive. Salez, poivrez. Faites cuire 30 minutes au four.

❖ Pendant ce temps, lavez les daurades, garnissez leur ventre de quelques graines de fenouil, posez-les sur la lèchefrite huilée. Versez un peu d'huile d'olive sur chacune, salez, poivrez.

❖ Quand les aubergines sont cuites, actionnez le gril, glissez les daurades dessous et laissez-les cuire de 2 à 4 minutes de chaque côté, selon que vous aimez le poisson plus ou moins cuit. Parsemez de quelques grains de fleur de sel.

Espadon rôti et tian de légumes

❖ Préchauffez le four à 150 °C (th. 5).

❖ Préparez le tian : lavez, égouttez les légumes et le basilic, pelez et hachez l'ail. Coupez les aubergines et les courgettes en rondelles fines. Coupez les tomates en rondelles plus épaisses (environ 5 mm). Rangez l'ail dans le fond d'un plat allant au four huilé. Posez les légumes dessus en les faisant alterner. Arrosez avec 2 cuillerées à soupe d'huile d'olive, salez, poivrez. Éparpillez les feuilles de basilic hachées et recouvrez d'une feuille d'aluminium. Laissez cuire 1 heure au four.

❖ Après 1 heure de cuisson, découvrez les légumes et laissez cuire encore 1 heure pour bien les confire et les dessécher. 5 à 10 minutes avant la fin de la cuisson des légumes, faites chauffer l'huile d'olive dans une poêle. Faites dorer l'espadon vivement pendant 1 minute, salez, poivrez, saupoudrez d'origan. Retournez les tranches de poisson, arrosez avec le jus de l'orange, laissez caraméliser. Avant de servir, laissez reposer quelques secondes hors du feu.

Préparation : 20 min

Cuisson : 2 h

Pour 6 personnes
6 steaks d'espadon
1 orange
1 cuillerée à soupe d'huile d'olive
6 pincées d'origan séché
gros sel gris, poivre

Pour le tian
2 aubergines
2 courgettes
2 gousses d'ail
3 tomates
4 branches de basilic
4 branches de persil
1 cuillerée à soupe d'origan séché
2 cuillerées à soupe d'huile d'olive
gros sel gris, poivre

À savourer avec un vin rosé de Provence.

L'espadon arrive sur les marchés à la fin de l'hiver. C'est un poisson fin qui présente l'intérêt de ne pas avoir d'arête.

Gambas de Spyros

Préparation et cuisson : 20 min

Pour 6 personnes

24 gambas décortiquées
3 tomates mûres
100 g de féta
2 cuillerées à soupe d'ouzo
1 cuillerée à café d'origan séché
1 cuillerée à soupe de crème fraîche
2 cuillerées à soupe d'huile d'olive
quelques gouttes de tabasco
1 pincée de sucre
sel, poivre

À savourer avec un goumenissa rosé de Macédoine.

❖ Ébouillantez, pelez les tomates, ôtez les pépins, concassez la chair dans une jatte, salez, poivrez, sucrez. Ajoutez 1 cuillerée à soupe d'huile d'olive et le tabasco. Versez-les dans une casserole et laissez tiédir 5 minutes à feu très doux.

❖ Faites chauffer 1 cuillerée à soupe d'huile d'olive dans une sauteuse, placez-y les gambas, parsemez-les d'origan, salez et poivrez. Faites-les cuire 2 minutes à feu vif. Réservez dans un plat au chaud.

❖ Versez la crème fraîche, la féta coupée en dés et les tomates dans la sauteuse, mélangez quelques secondes, versez sur les gambas.

❖ Faites chauffer l'ouzo dans une cassolette en cuivre. Portez les gambas à table, versez l'alcool dessus et flambez. Vous pouvez accompagner ce plat de riz cuit à la vapeur. Dans ce cas, pensez à le cuire avant la réalisation de la recette.

Oribase est né à Pergame dans les années 325. Il prescrivait le riz pour resserrer le ventre.

Langoustines aux poivrons rouges

❖ Décortiquez les langoustines. Pressez l'orange. Faites bouillir une casserole d'eau. Lavez les poivrons. Dès l'ébullition, plongez-les dans l'eau et laissez-les 5 minutes, égouttez, épluchez les poivrons au couteau économe et coupez-les en lanières fines.

❖ Faites chauffer 1 cuillerée à soupe d'huile d'olive dans une sauteuse, versez-y les poivrons, salez, poivrez. Couvrez et laissez compoter 5 minutes à feu doux.

❖ Ajoutez les langoustines aux poivrons avec le jus de l'orange et poursuivez la cuisson encore 2 minutes à découvert. Servez aussitôt. Salez, poivrez.

Préparation et cuisson :
45 min

Pour 6 personnes
30 grosses langoustines crues
3 beaux poivrons rouges
1 orange
1 cuillerée à soupe d'huile d'olive
sel, poivre

À savourer avec un chablis.

Les Crétois consomment le poivron vert en salade. Leur cuisine ignore le poivron rouge mais fait une large place aux produits de la mer. L'association des langoustines et du poivron rouge est excellente. Faute de temps, vous pouvez ne pas éplucher les poivrons. Dans ce cas, comptez une cuisson plus longue (20 minutes).

Filets de loup aux artichauts

Préparation et cuisson : 30 min

Pour 6 personnes
6 filets de loup
12 artichauts violets
1 citron
2 œufs
2 cuillerées à soupe de farine
3 cuillerées à soupe d'huile d'olive
2 cuillerées à soupe de vinaigre
sel, poivre

À savourer avec un bandol rosé.

❖ Cassez la tige des artichauts, enlevez les premières feuilles et le foin, passez dans de l'eau vinaigrée, égouttez.

❖ Faites chauffer 2 cuillerées à soupe d'huile d'olive et mettez-y les artichauts à dorer 4 minutes, salez, poivrez. Hors du feu, versez un filet de citron.

❖ Versez la farine dans une assiette. Cassez les œufs dans une autre assiette et battez-les en ajoutant du sel et du poivre. Passez les filets dans la farine puis dans les œufs. Faites chauffer 1 cuillerée à soupe d'huile d'olive dans une grande poêle, faites-y cuire les filets sur feu vif, 2 minutes de chaque côté. Arrosez avec le reste du jus du citron.

Entre le loup et le bar, il n'y a qu'une différence : l'appellation en fonction de la provenance. Le loup est un poisson de Méditerranée et le bar un poisson de l'Atlantique. Les Anciens l'ont appelé « loup » en raison de sa voracité.

Loup grillé au fenouil

❖ Avant de placer le poisson au réfrigérateur (le temps de réaliser la recette), rincez-le bien, épongez-le, garnissez son ventre de quelques grains d'anis, passez un peu d'huile d'olive sur ses flancs, rangez-le dans un plat allant au four et couvrez avec du film alimentaire.

❖ Pelez les oignons, émincez-les. Nettoyez les fenouils, enlevez les tiges filandreuses, émincez finement les bulbes. Faites fondre les oignons dans 1 cuillerée à soupe d'huile d'olive chaude, ajoutez le fenouil, salez, poivrez, laissez étuver 5 minutes.

❖ Placez le fenouil confit dans la lèchefrite du four et posez le loup dessus. Salez, poivrez, versez 1 cuillerée à soupe d'huile d'olive.

❖ Allumez le gril. Placez la plaque dessous, pas trop près de la source de chaleur. Laissez de 8 à 10 minutes de chaque côté environ.

❖ Servez avec un peu d'huile d'olive coupée de jus de citron et de fleur de sel.

Préparation : 30 min

Cuisson : 30 min

Pour 2 personnes
1 loup de 700 g, écaillé et vidé
2 bulbes de fenouil
4 oignons
quelques grains d'anis vert
3 cuillerées à soupe d'huile d'olive
quelques feuilles de basilic
fleur de sel, gros sel gris, poivre

À savourer avec un amynteon rouge de Macédoine.

Dans l'Antiquité, l'anis avait la réputation d'ouvrir l'appétit.

Kakavia

Préparation : 30 min

Cuisson : 1 h

Pour 4 personnes
1 tête de mérou et 600 g de chair en tranches
4 carottes
4 petites pommes de terre charlottes de Noirmoutier
1 oignon
1 citron
1 grosse pomme de terre bintje
2 feuilles de laurier
4 branches de persil
1 branche de romarin
10 cl d'huile d'olive
1 cuillerée à café de gros sel gris
fleur de sel, poivre

À savourer avec un daphnès rosé de Crète.

❖ Préparez tous les légumes : pelez et émincez l'oignon, pelez les pommes de terre, coupez la bintje en dés, grattez les carottes et taillez-les en bâtonnets.

❖ Faites chauffer l'huile d'olive dans une marmite. Faites-y blondir l'oignon, ajoutez les herbes, 2 litres d'eau et le gros sel. Dès l'ébullition, ajoutez les carottes et les pommes de terre. Poivrez. Laissez cuire une quinzaine de minutes. Quand les légumes sont à point, retirez les petites pommes de terre et les carottes. Réservez au chaud.

❖ Plongez la tête du mérou dans le bouillon et laissez cuire 30 minutes. Ajoutez alors les tranches de poisson et poursuivez la cuisson 10 minutes sans laisser bouillir. Retirez le poisson, réservez-le au chaud. Passez le bouillon à travers une passoire en écrasant bien tous les ingrédients avec une cuillère en bois.

❖ Versez le bouillon dans une soupière et présentez du pain sec en même temps.

Cette soupe constitue un repas complet car vous servirez le poisson et les légumes dans un second temps. Portez à table une saucière d'huile d'olive assaisonnée de fleur de sel et de jus de citron.

Pageau en papillote et gratin de tomates

❖ Préchauffez le four à 210 °C (th. 7) en laissant deux grilles à l'intérieur.

❖ Rincez le poisson, égouttez-le. Coupez un carré d'aluminium suffisamment grand pour enfermer le pageau. Posez le poisson dessus, salez, poivrez. Arrosez avec 1 cuillerée à soupe d'huile d'olive, fermez la papillote. Posez-la dans un plat allant au four.

❖ Mettez le plat dans le bas du four et laissez cuire 40 minutes.

❖ Pendant ce temps, pelez l'ail, rincez le persil et hachez-les ensemble. Lavez les tomates, rangez-les bien serrées dans un plat allant au four huilé. Parsemez-les du hachis d'ail et de persil.

❖ Glissez le plat de tomates 15 minutes avant la fin de la cuisson du pageau dans le haut du four. Servez le poisson dans sa papillote.

Préparation : 10 min

Cuisson : 40 min

Pour 2 personnes
1 pageau de 400 g, écaillé et vidé (soit 200 à 250 g de chair par personne)
6 petites tomates en grappes
2 cuillerés à soupe d'huile d'olive
1 gousse d'ail
quelques branches de persil
sel, poivre

À savourer avec un archanès rosé de Crète.

L'espèce de pageau (ou pageot) la plus commune est rose à points bleus, mais certains dictionnaires font référence à des pageaux acarnés appelés ravelles, très rares.

Rougets aux herbes et gratin d'aubergines

Préparation : 30 min

Dégorgeage des légumes : 1 h

Cuisson : 1 h

Pour 4 personnes
8 rougets de roche, vidés (sauf le foie) et écaillés
4 branches de thym
2 branches de romarin
2 branches de fenouil
4 branches de persil
4 cuillerées à soupe d'huile d'olive

Pour le gratin
2 aubergines lourdes et fermes
4 tomates mûres
1 morceau de pecorino au poivre (fromage italien de brebis)
3 cuillerées à soupe d'huile d'olive
quelques branches de basilic
2 cuillerées à soupe de gros sel gris
sel, poivre

❖ Préparez le gratin : enlevez le pédoncule des aubergines, lavez-les, coupez-les en tranches fines, saupoudrez-les de 1 cuillerée à soupe de gros sel. Laissez dégorger 1 heure.

❖ Comme pour les aubergines, lavez les tomates, coupez-les en tranches fines, saupoudrez-les de gros sel et laissez-les dégorger 1 heure.

❖ Préchauffez le four à 150 °C (th. 5).

❖ Coupez le pecorino en lamelles. Essuyez les légumes. Versez 1 cuillerée à soupe d'huile d'olive dans un plat à gratin.

❖ Disposez les aubergines puis les tomates dans le plat à gratin, arrosez avec l'huile d'olive, parsemez de basilic haché, d'un peu de sel et de poivre, terminez par le pecorino râpé.

❖ Faites cuire 50 minutes au four.

❖ Huilez les poissons avec le dos d'une cuillère, posez les herbes dessus, salez, poivrez.

❖ Quand le gratin est cuit, allumez le gril, glissez le plat de rougets dessous. Laissez cuire 1 minute de chaque côté, salez, poivrez.

❖ Préparez un peu d'huile d'olive avec du jus de citron et quelques grains de fleur de sel, servez à part.

Pour servir
huile d'olive
citron
fleur de sel, poivre

À savourer avec un vin rouge de Céphalonie.

En 1871, dans son Art de prolonger la vie, *le médecin Hufeland insiste sur les effets de la cuisine recherchée aussi nuisibles à la santé que l'intempérance. Sans suivre ses conseils à la lettre, faisons simple avec cette recette : rien ne vaut un poisson cuit entier, surtout lorsqu'il s'agit d'un rouget de roche !*

Rougets frits et salade crétoise

Préparation et cuisson : 20 min

Pour 4 personnes
8 rougets de roche, vidés (sauf le foie) et écaillés
6 cuillerées à soupe d'huile d'olive
farine

Pour la salade
3 tomates
1/2 concombre
1 petit oignon
200 g de féta
1/2 citron
1 douzaine d'olives noires (*kalamata*)
3 cuillerées à soupe d'huile d'olive
2 pincées d'origan séché
sel, poivre

À savourer avec un vin rouge de Naoussa.

❖ Préparez la salade : lavez les légumes, coupez-les finement. Faites une vinaigrette avec l'huile d'olive, le jus du citron, du sel et du poivre. Versez sur les légumes, mélangez.

❖ Répartissez la salade dans les assiettes, garnissez d'olives, de féta coupée en dés et d'origan.

❖ Lavez, essuyez et farinez les rougets. Faites-les frire dans l'huile d'olive chaude 1 minute de chaque côté. Posez sur la salade.

La pleine saison du rouget va d'avril à septembre. Le rouget de roche est appelé également « barbet » à cause de sa barbe. Il est rose et porte des taches noires sur la première nageoire dorsale. De sable, il est gros et d'un brun-rouge. Plus le poisson est frais, plus sa couleur est vive.

Savoro au romarin et risotto de lentilles

❖ Préparez le risotto : triez les lentilles. Plongez-les dans une casserole d'eau froide et laissez cuire 45 minutes. Égouttez-les.

❖ Faites chauffer 1 cuillerée à soupe d'huile d'olive dans une sauteuse, versez le riz égoutté, ajoutez le laurier, les lentilles et le vinaigre de xérès. Salez, poivrez. Laissez cuire le riz au moins 15 minutes, en ajoutant un peu d'eau si nécessaire.

❖ Pelez, émincez l'oignon finement. Faites-le dorer dans 1 cuillerée à soupe d'huile d'olive et versez sur les lentilles à la fin de la cuisson.

❖ Farinez les poissons, faites-les frire dans une poêle avec 5 cuillerées à soupe d'huile d'olive chaude. Enlevez les poissons avec une écumoire.

❖ Ajoutez dans la poêle le reste de l'huile d'olive, l'ail coupé en lamelles et le romarin. Faites revenir quelques secondes. Versez 2 cuillerées à soupe de farine, mélangez, ajoutez le vinaigre et 1 cuillerée à soupe d'eau. Salez et poivrez. Versez sur les poissons.

Préparation : 30 min

Cuisson : 1 h

Pour 6 personnes
12 petits rougets, écaillés et vidés
1 gousse d'ail
1 branche de romarin
10 cl d'huile d'olive
1 cuillerée à soupe de vinaigre
farine
sel, poivre

Pour le risotto
350 g de lentilles vertes du Puy
3 cuillerées à soupe de riz lavé
1 oignon
2 feuilles de laurier
2 cuillerées à soupe d'huile d'olive
2 cuillerées à soupe de vinaigre de xérès
1 bouquet garni
sel, poivre

À savourer avec un vin rouge de Céphalonie.

Saint-Jacques aux endives et effluves d'orange

Préparation et cuisson : 20 min

Pour 6 personnes
30 noix de coquilles Saint-Jacques et leur corail
6 endives
50 g de beurre
1 orange
quelques branches d'aneth
4 cuillerées à soupe d'huile d'olive
gros sel gris, sel, poivre

À savourer avec un bordeaux pour sa rondeur.

❖ Lavez, égouttez les endives. Coupez-les en lanières en éliminant le trognon. Faites-les revenir doucement 5 minutes dans le beurre fondu.

❖ Lavez, égouttez et farinez légèrement les noix de Saint-Jacques. Faites chauffer l'huile d'olive dans une poêle, faites-y dorer vivement les Saint-Jacques 2 minutes, salez, poivrez. Retournez-les, versez le jus de l'orange et laissez caraméliser de 1 à 2 minutes selon leur grosseur.

❖ Mettez les endives dans les assiettes chaudes, déposez les noix de Saint-Jacques dessus. Ciselez l'aneth au-dessus des assiettes.

L'endive que nous trouvons sur les marchés est blanche et consommée plutôt en hiver. Crue, elle s'accommode de fromage, comme la ricotta ou le roquefort, et de noix. Cuite, elle convient bien aux coquilles Saint-Jacques ainsi qu'au saumon.

Porée marine

❖ Raccourcissez un peu le vert des poireaux, lavez-les en écartant les feuilles, égouttez-les. Coupez-les en rondelles.

❖ Dans une cocotte, faites chauffer 1 cuillerée à soupe d'huile d'olive, ajoutez les poireaux, salez, poivrez. Laissez confire doucement 15 minutes à demi couvert.

❖ Allumez le four à 200 °C (th. 6-7).

❖ Rangez les poireaux au fond de 6 soupières individuelles ou de 6 bols à gratiner. Posez les poissons et les noix de Saint-Jacques dessus. Dans chaque soupière, versez 1 cuillerée à café de samos, 1 cuillerée à café d'huile d'olive, ajoutez 1 pincée de gros sel, donnez 1 tour de moulin à poivre. Couvrez d'une feuille d'aluminium. Mettez au four et laissez cuire 15 minutes. Éteignez le four, retirez l'aluminium et laissez reposer les soupières 5 minutes dans le four.

Préparation : 30 min

Cuisson : 30 min

Pour 6 personnes

6 noix de coquilles Saint-Jacques avec leur corail
6 filets de rouget
6 filets de daurade
2 kg de poireaux
6 cuillerées à café de samos (ou de Noilly-Prat)
8 cuillerées à café d'huile d'olive
6 pincées de gros sel gris
sel, poivre

À savourer avec un vin léger de Chypre comme le kyklo.

C'est depuis le XIVe siècle qu'on appelle « porée » une préparation à base de poireaux. Ce terme est encore utilisé en Vendée notamment. Mais on cuisinait aussi une porée blanche avec des blettes. Quand on ajoutait des lardons, elle devenait noire.

Moussaka de sardines

Préparation et cuisson : 1 h

Dégorgeage des aubergines : 1 h

Pour 6 personnes
18 sardines en filets
1 kg de tomates
3 aubergines
3 gousses d'ail
50 g de parmesan
1 bouquet de basilic frais
10 cuillerées à soupe d'huile d'olive
sel, poivre

❖ Lavez les aubergines, coupez-les en tranches fines dans le sens de la longueur. Mettez-les dans une passoire, poudrez-les de sel et laissez-les dégorger 1 heure.

❖ Essuyez les aubergines. Faites chauffer 5 cuillerées à soupe d'huile d'olive dans une grande poêle, mettez-y quelques tranches d'aubergine à dorer 5 minutes de chaque côté.

❖ Posez-les sur un papier absorbant et renouvelez l'opération.

❖ Ébouillantez les tomates, pelez-les, coupez-les en deux, épépinez-les en les pressant légèrement entre vos doigts. Détaillez la chair en petits morceaux.

❖ Faites chauffer 1 cuillerée à soupe d'huile d'olive dans une sauteuse, versez-y les tomates et laissez-les quelques minutes le temps que l'eau s'évapore.

❖ Pelez l'ail. Passez-le au mixeur avec le basilic et 3 cuillerées à soupe d'huile d'olive.

❖ Préchauffez le four à 225 °C (th. 7-8).

❖ Passez un peu d'huile d'olive au fond d'un plat allant au four et rangez par couches : des sardines, des aubergines, des tomates concassées, salez et poivrez, continuez avec de la sauce au basilic et du parmesan râpé.

❖ Faites cuire 10 minutes au four.

À savourer avec un bandol.

On trouve des filets de sardine à la belle saison, profitez-en. Faute de filets, écaillez les sardines au-dessus d'une passoire sous un filet d'eau. Avec le pouce et l'index, enlevez la tête et les viscères puis, en glissant le long de l'arête centrale, ouvrez la sardine. Enlevez l'arête, coupez la queue, posez sur un papier absorbant.

Sardines farcies aux pignons et tian d'épinards

Préparation : 30 min

Cuisson : 40 min

Pour 6 personnes
8 sardines, écaillées et vidées
1 poignée de mie de pain
3 gousses d'ail
75 g de pignons de pin
3 cuillerées à soupe d'huile d'olive
2 feuilles de laurier
quelques branches de thym
1 petit bouquet de persil
sel, poivre

❖ Préchauffez le four à 175 °C (th. 6) en laissant deux grilles à l'intérieur.

❖ Rincez les sardines sous l'eau fraîche et mettez-les à égoutter. Pelez l'ail, hachez-le. Émiettez le pain.

❖ Dans un saladier, mélangez le pain, l'ail, les pignons de pin et l'huile d'olive. Ajoutez sel et poivre.

❖ Farcissez les sardines de ce mélange, rangez-les dans un plat allant au four sur un lit de thym et de laurier.

❖ Triez les épinards, enlevez les feuilles flétries et les tiges. Lavez-les, égouttez-les, hachez-les finement. Disposez-les dans un grand plat.

❖ Épluchez l'ail, hachez-le avec le persil. Délayez la farine avec le lait, ajoutez un peu de noix de muscade et 1 cuillerée à soupe d'huile d'olive, mélangez avec l'ail et le persil, versez sur les épinards. Salez, poivrez, et saupoudrez de fromage.

❖ Mettez le plat dans le bas du four et laissez cuire 40 minutes.

❖ Au bout de 20 minutes de cuisson, montez la température à 200 °C (th. 6-7).

❖ Attendez 5 minutes et placez les sardines en haut du four, laissez-les cuire 15 minutes en surveillant la cuisson. Au besoin, protégez les sardines par une feuille d'aluminium.

Pour les épinards
750 g d'épinards
3 gousses d'ail
30 cl de lait
1 cuillerée à soupe bombée de farine
6 branches de persil
8 pincées de pecorino râpé
3 cuillerées à soupe d'huile d'olive
1 cuillerée à café rase de sel,
poivre, noix muscade

À savourer avec un vin rouge de Provence pour sa tendresse.

À Rome, on mangeait la sardine en entrée pour ouvrir l'appétit et faciliter la digestion. Comme les concombres, les sardines entraient dans la catégorie des gustatio *: elles tapissaient l'estomac avant les agapes. Au Moyen Âge, on les cuisait à l'eau et on les mangeait avec de la moutarde.*

Saumon en robe d'aubergine et coulis de tomates

Préparation et cuisson :
10 min

Pour 4 personnes
4 escalopes fines
de saumon d'Écosse,
de 120 g chacune
4 belles aubergines
2 crottins de chèvre
demi-secs
1 branche de sarriette
10 cl d'huile d'olive
gros sel gris, poivre

Pour le coulis
4 belles tomates mûres
3 feuilles de basilic frais
1 pincée de sucre
sel, poivre

❖ Ébouillantez, pelez, coupez les tomates en deux et enlevez les pépins, versez-les dans une passoire, saupoudrez de gros sel et laissez dégorger le temps de préparer les aubergines.

❖ Lavez et essuyez les aubergines. Coupez-les dans le sens de la longueur en tranches fines.

❖ Faites chauffer suffisamment d'huile d'olive dans une grande poêle. Mettez-y plusieurs tranches d'aubergine, salez, poivrez, et laissez cuire 5 minutes de chaque côté. Posez sur du papier absorbant. Recommencez pour les autres tranches.

❖ Mixez les tomates égouttées avec du poivre et le sucre. Au besoin, ajoutez du sel.

❖ Coupez grossièrement les feuilles de basilic rincées et épongées, versez le coulis dessus.

❖ Coupez les crottins en deux, saupoudrez-les de sel, de poivre, parsemez de sarriette. Posez 1/2 fromage sur chaque escalope de saumon, repliez celle-ci par-dessus.

❖ Enveloppez le saumon de tranches d'aubergine de façon à confectionner des paupiettes.

❖ Faites chauffer 1 cuillerée à soupe d'huile d'olive dans une poêle, mettez-y les paupiettes et laissez cuire 3 minutes de chaque côté à feu doux.

❖ Attendez 1 minute, feu éteint, avant de servir le saumon entouré du coulis.

À savourer avec un cahors.

Hormis le saumon, tous les ingrédients de cette recette sont crétois. Mais il serait dommage de se priver de ce poisson qui est excellent et dont les graisses protègent le cœur.

Seiches aux épinards

Préparation : 45 min

Cuisson : 25 min

Pour 4 personnes
1 kg de seiches
1,5 kg d'épinards
1 oignon
20 cl de vin blanc
1 cuillerée à soupe de concentré de tomates
4 cuillerées à soupe d'huile d'olive
2 cuillerées à soupe de persil haché
sel, poivre

À savourer avec un bergerac rouge.

❖ Nettoyez les seiches en tirant sur la tête pour extirper le « sac ». Coupez les tentacules au ras des yeux. Rincez les corps et les tentacules. Coupez la chair en lanières épaisses.

❖ Équeutez et lavez les épinards. Pelez et émincez l'oignon.

❖ Faites revenir l'oignon dans l'huile d'olive chaude, dans un grand faitout. Ajoutez les seiches, faites-les dorer quelques secondes à feu vif. Versez le vin, le concentré de tomates, ajoutez le persil, laissez cuire doucement 10 minutes. Ajoutez les épinards à la préparation et laissez la cuisson se poursuivre 10 minutes. Salez et poivrez.

Voici une recette typique qui associe deux éléments fondamentaux du régime crétois : les épinards et les seiches.

Seiches poêlées au vin rosé et pissenlits pochés

❖ Nettoyez les seiches en tirant sur la tête pour extirper le « sac ». Coupez les tentacules au ras des yeux. Rincez les corps et les tentacules. Coupez la chair en lanières épaisses.

❖ Coupez le pied des pissenlits, ôtez les feuilles flétries, lavez-les, égouttez-les, mettez-les dans un linge.

❖ Faites chauffer 5 cuillerées à soupe d'huile d'olive dans une sauteuse, versez les seiches, attendez qu'elles rendent leur eau. Quand l'eau s'est évaporée, ajoutez le vin, salez, couvrez et laissez cuire 10 minutes sur feu doux.

❖ Pendant ce temps, faites bouillir 2 litres d'eau salée, plongez-y les pissenlits 5 minutes, ou plus s'ils sont gros. Égouttez. Versez dessus une vinaigrette confectionnée avec sel, poivre, 5 cuillerées à soupe d'huile d'olive et le jus du citron. Poivrez. Servez avec les seiches.

Préparation : 45 min

Cuisson : 15 min

Pour 4 personnes
1 kg de seiches
15 cl de vin rosé
1 kg de pissenlits
10 cuillerées à soupe d'huile d'olive
1 citron
sel, poivre

À savourer avec un archanès rosé.

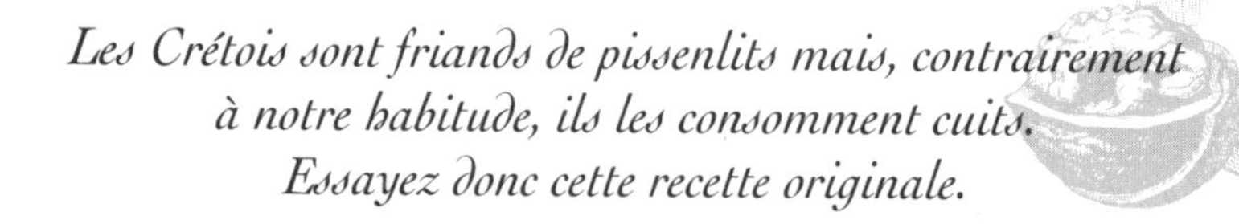

Les Crétois sont friands de pissenlits mais, contrairement à notre habitude, ils les consomment cuits. Essayez donc cette recette originale.

Steak de thon et purée à l'huile d'olive

Préparation : 15 min

Cuisson : 15 min

Pour 1 personne
1 steak de thon sans arête de 120 g
1 grosse pomme de terre bintje
2 cuillerées à soupe d'huile d'olive
fleur de sel, poivre du moulin

À savourer avec un rioja.

❖ Lavez la pomme de terre, posez-la dans le panier de l'autocuiseur au-dessus d'un peu d'eau salée et laissez sous pression 10 minutes (ou faites-la cuire 30 minutes dans de l'eau bouillante salée).

❖ Pelez-la rapidement et écrasez-la grossièrement avec une spatule conçue à cet effet ou, à défaut, une fourchette. Ajoutez 1 cuillerée à soupe d'huile d'olive, quelques grains de fleur de sel. Poivrez. Tenez au chaud.

❖ Faites chauffer 1 cuillerée à soupe d'huile d'olive dans une poêle très chaude, Saisissez-y le thon de 2 à 4 minutes selon l'épaisseur du steak et le goût de chacun. Salez, poivrez. Posez le thon sur la purée.

Les Grecs étaient grands amateurs de fruits de mer et de poissons. Archestrate exerçait ses talents de cuisinier au IVe siècle avant J.-C. Il donne sa recette du thon : rôti à l'huile d'olive. Selon lui, un mets de choix même pour les plus difficiles.

Thon Costes et tian de courgettes

❖ Préchauffez votre four à 180 °C (th. 6). Épluchez les courgettes, coupez-les en rondelles. Dans un faitout, mettez 1 cuillerée à soupe d'huile d'olive à chauffer, faites-y dorer les courgettes, salez, poivrez. Laissez cuire 15 minutes à l'étouffée. Versez les courgettes dans une passoire et laissez-les s'égoutter. Coupez la féta en dés.

❖ Versez 1 cuillerée à soupe d'huile d'olive dans un plat à feu. Étalez-y la moitié des courgettes, puis la moitié du fromage émietté, ajoutez un peu de noix muscade. Recommencez avec le reste des courgettes et du fromage. Recouvrez de lait. Faites cuire 30 minutes au four.

❖ 3 à 5 minutes avant la fin de la cuisson du gratin, saisissez le thon, dans une grande poêle ou sur une plaque, 2 minutes, salez, poivrez. Posez dans des assiettes chaudes, recouvrez de coriandre fraîche ciselée et de graines concassées. Versez sur chaque steak 1/2 cuillerée à café d'huile d'olive et ajoutez quelques grains de fleur de sel.

Préparation : 30 min

Cuisson : 45 min

Pour 6 personnes
1 steak de thon blanc, de 120 g (par personne)
1 bouquet de coriandre fraîche
1 poignée de graines de coriandre concassées
2 cuillerées à soupe d'huile d'olive
6 pincées de fleur de sel
poivre

Pour le tian de courgettes
2 kg de courgettes
200 g de féta
15 cl de lait
1 cuillerée à soupe d'huile d'olive
sel, poivre, noix muscade

À savourer avec un buzet.

Les graines de coriandre participent beaucoup aux saveurs de la cuisine crétoise, comme l'huile d'olive.

Thon aux échalotes

Préparation : 30 min

Cuisson : 30 min

Pour 4 personnes
4 steaks de thon,
de 120 g chacun
2 courgettes
4 anchois au sel
24 belles échalotes roses
4 cuillerées à soupe
d'huile d'olive
quelques branches
de persil plat
1 cuillerée à café
de gros sel gris
sel, poivre

❖ Pelez les échalotes. Rincez le persil. Dessalez les anchois en les passant sous l'eau froide, enlevez l'arête avec les doigts.

❖ Dans une poêle, faites chauffer 2 cuillerées à soupe d'huile d'olive, mettez les échalotes, couvrez et laissez confire doucement de 8 à 10 minutes. Salez, poivrez.

❖ Pendant ce temps, lavez les courgettes. Prélevez la chair au couteau économe jusqu'à ce qu'elles soient entièrement débitées en forme de tagliatelles.

❖ Plongez les courgettes quelques secondes dans de l'eau bouillante salée. Égouttez-les dans une passoire.

❖ Ajoutez aux échalotes le thon, les anchois, le gros sel. Poivrez.

❖ Laissez dorer 1 minute, retournez le poisson, poivrez de nouveau, couvrez et laissez cuire de 2 à 3 minutes selon le goût de chacun. Certains aiment le thon bleu, d'autres rosé ou à point. En fait, la cuisson est la même que pour le bœuf.

❖ Hors du feu, ciselez le persil sur le poisson.

❖ Posez le poisson dans des assiettes chaudes avec les échalotes et les tagliatelles de courgette autour.

❖ Ne cherchez pas les anchois, ils ont fondu !

À savourer avec un pessac-léognan.

Autrefois, on employait l'anchois dans toutes sortes de préparations, car il avait l'avantage de saler et d'économiser une denrée fort chère. Associé au thon, il est délicieux. Le thon est un poisson excellent mais trop souvent débité en tranches. Insistez auprès de votre poissonnier pour qu'il vous taille des steaks, si possible dans le ventre ou les joues. Ces morceaux n'ont pas leur pareil. Et vous n'aurez pas de perte.

Cailles aux chou et baies de genièvre

Préparation : 15 min

Cuisson : 30 min

Pour 4 personnes
4 belles cailles
1 chou vert
1 poignée de raisins secs
8 baies de genièvre
1 cuillerée à soupe d'huile d'olive
4 feuilles de sauge
sel, poivre

À savourer avec un canon-fronsac.

❖ Mettez 2 litres d'eau à chauffer. Lavez le chou, enlevez les feuilles flétries, coupez-le en quatre. Dès l'ébullition, salez l'eau et plongez-y le chou. Laissez reprendre l'ébullition et attendez 5 minutes, égouttez le chou dans une passoire.

❖ Préchauffez le four à 225 °C (th. 7-8).

❖ Remplissez le ventre des cailles de raisins secs, salez, poivrez. Réservez quelques raisins pour la garniture. Faites chauffer l'huile d'olive dans une cocotte, mettez-y les cailles à dorer 5 minutes sur toutes leurs faces, salez, poivrez. Éteignez le feu.

❖ Débarrassez le chou du trognon et des côtes. Coupez-le en fines lanières. Recouvrez les cailles de la moitié des lanières de chou, ajoutez le reste des raisins, le genièvre et la sauge. Versez le reste du chou, salez, poivrez. Fermez la cocotte et enfournez pour 20 à 25 minutes.

❖ Servez chaque caille sur un lit de chou.

Le meilleur chou est celui qui arrive en automne sur les marchés ; il est d'un vert sombre : c'est le milan. Le chou blanc apparaît dès la fin du mois de juin ; c'est une espèce de cabus. Il a un avantage : on n'est pas obligé de le blanchir et on peut le manger en salade.

Magrets à l'orange en compotée de poivrons

Préparation : 15 min

Cuisson : 15 min

Pour 4 personnes
2 beaux magrets de canard
4 poivrons rouges
1 orange
1 cuillerée à soupe d'huile d'olive
quelques feuilles de basilic
sel, poivre

À savourer avec un canon-fronsac.

❖ Lavez et essuyez les poivrons. Plongez-les 5 minutes dans un grand volume d'eau bouillante, égouttez-les. Pelez-les avec un couteau économe et coupez-les en lanières fines.

❖ Faites dorer les poivrons dans l'huile chaude, salez, poivrez. Laissez compoter une dizaine de minutes.

❖ Pendant ce temps, faites chauffer une poêle ou un gril à feu vif. Faites-y cuire 10 minutes les magrets côté peau. Quand la peau est bien dorée, retournez-les, salez, poivrez. Laissez cuire encore 5 minutes.

❖ Retirez les magrets (le sang doit perler lorsque vous les piquez) et enfouissez-les dans les poivrons. Versez dessus le jus de l'orange et laissez caraméliser.

❖ Faites chauffer les assiettes. Mettez les magrets coupés en lamelles fines d'un côté, les poivrons de l'autre. Ajoutez les feuilles de basilic grossièrement déchirées.

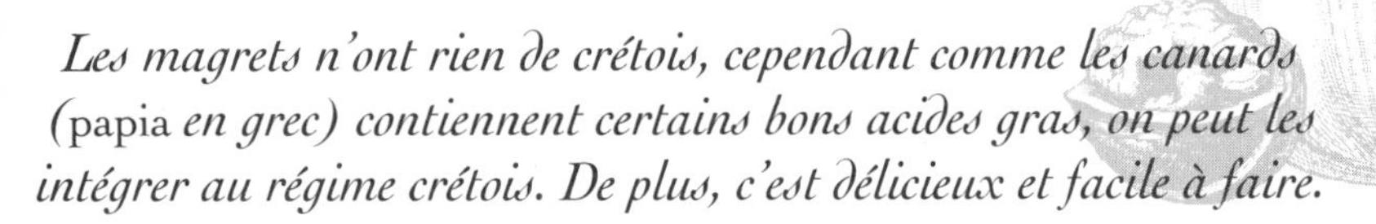

Les magrets n'ont rien de crétois, cependant comme les canards (papia *en grec) contiennent certains bons acides gras, on peut les intégrer au régime crétois. De plus, c'est délicieux et facile à faire.*

Coquelet à l'estragon et aux marrons confits

Préparation : 15 min

Macération : 1 h

Cuisson : 25 min

Pour 2 personnes
2 petits coquelets, aplatis en crapaudine par votre volailler
1 poignée de raisins secs
1 bocal de marrons
1 citron
1 cuillerée à soupe d'huile d'olive
quelques branches d'estragon frais
sel, poivre

À savourer avec un bourgueil aux tanins généreux.

❖ Rincez l'estragon, épongez-le, enlevez les feuilles, mettez-les au frais. Huilez un plat à feu avec du papier absorbant, salez, poivrez.

❖ Rangez les tiges d'estragon et les raisins dans le plat, posez les coquelets dessus. Salez, poivrez, versez le jus du citron et l'huile d'olive sur les coquelets. Couvrez de papier d'aluminium et mettez au frais 1 heure au moins.

❖ Préchauffez le four à 175 °C (th. 5-6). Dès qu'il est chaud, enfournez les coquelets en haut de l'appareil et laissez cuire 20 minutes. Ajoutez alors les marrons égouttés, éteignez le four et laissez 5 minutes supplémentaires.

❖ Ciselez les feuilles d'estragon au-dessus des coquelets et portez le plat à table.

Depuis l'Antiquité, les raisins secs quittent la Crète par le port de Candie, ancien nom de la ville d'Héraklion et de l'île. Frais, ils sont passés dans un bain de carbonate de potassium, ce qui permet aux fruits de s'égoutter, puis sont entreposés au soleil. Une fois secs, on les conditionne en sachets : ce sont les sultanines. *Ils font merveille avec les marrons.*

Dinde farcie aux fruits secs

Préparation : 45 min

Cuisson : 2 h 30

Pour 8 personnes

1 dinde fermière de 3 kg
400 g de foies et gésiers de volaille
250 g de riz cru
2 carottes
1 branche de céleri
1 oignon
1 citron
1 poignée d'amandes non pelées
1 poignée de pignons de pin
2 clous de girofle
1 cuillerée à café de cannelle
2 cuillerées à soupe d'huile d'olive
1 bouquet garni
sel, poivre

❖ Pelez l'oignon, piquez-le des clous de girofle. Pelez les carottes, coupez-les en quatre. Rincez le céleri et le bouquet garni. Mettez une grande marmite d'eau salée sur le feu avec les légumes et le bouquet. À l'ébullition, plongez la dinde dans le liquide et laissez cuire 15 minutes en écumant de temps en temps.

❖ Pendant ce temps, ébouillantez les amandes, égouttez-les, enlevez la peau.

❖ Retirez la dinde du bouillon. Nettoyez les foies et les gésiers, coupez-les en petits morceaux, faites-les revenir dans 1 cuillerée à soupe d'huile d'olive chaude avec du sel et du poivre. Arrosez du jus de citron.

❖ Préchauffez le four à 180 °C (th. 6).

❖ Rincez le riz. Faites chauffer 1 cuillerée à soupe d'huile d'olive, faites-y revenir les amandes et les pignons, ajoutez le riz égoutté. Versez une louche de bouillon et 1 pincée de cannelle. Au fur et à mesure de l'évaporation du liquide, rajoutez du bouillon à la préparation avec 1 pincée de cannelle à chaque fois.

Dinde farcie aux fruits secs (suite)

À savourer avec un pommard.

❖ Retirez du feu lorsque le riz croque encore un peu sous la dent. Ajoutez les foies et les gésiers.

❖ Tassez une partie de la farce au riz à l'intérieur de la dinde, décollez délicatement la peau avec vos doigts pour en glisser aussi entre la chair et la peau. Fermez le croupion avec une ficelle. Mettez ce qu'il reste de farce dans un petit plat allant au four.

❖ Glissez la dinde dans le four et laissez cuire 2 heures en l'arrosant de temps en temps avec un peu de bouillon chaud. Pendant que vous découpez la dinde, mettez la farce restante dans le four chaud.

Vous pourrez déguster cette recette à Noël. Au XVIe siècle, la dinde était une viande de luxe. On lui donnait le nom de « coq d'Inde ». On la farcissait de pigeonneaux, champignons, truffes, fonds d'artichaut, crêtes de coq, rognons de mouton et ris de veau.

Faisan bohémien et purée de pommes et céleri

❖ Dans un grand plat huilé allant au four, mettez 2 pincées de fleur de sel, donnez 4 tours de moulin à poivre, ajoutez la moitié du thym et le laurier. Posez le faisan bien à plat. Salez et poivrez de nouveau. Saupoudrez de thym et de cannelle. Versez le jus de la première orange, coupez l'autre en rondelles fines et mettez celles-ci autour du faisan.

❖ Recouvrez d'une feuille d'aluminium et laissez 1 heure au frais.

❖ Préchauffez le four à 175 °C (th. 5-6).

❖ Mettez le faisan à cuire 40 minutes au four.

❖ Pendant ce temps, lavez les topinambours et faites-les cuire 10 minutes dans l'autocuiseur sur un fond d'eau salée. Cassez les noix. Pelez les topinambours encore tièdes, coupez-les en deux.

❖ Pelez le céleri-rave, coupez-le en morceaux, mettez ceux-ci dans une casserole. Versez dessus le lait froid, salez, poivrez et ajoutez de la noix muscade. Laissez cuire 10 minutes à feu moyen, à demi couvert.

Préparation : 25 min

Macération : 1 h

Cuisson : 50 min

Pour 4 personnes
1 faisan préparé
en crapaudine
par votre volailler
8 noix
8 topinambours
2 oranges
1 pincée de cannelle
2 cuillerées à soupe
d'huile d'olive
2 feuilles de laurier
4 clous de girofle
quelques branches
de thym
fleur de sel, poivre

Pour la purée
1 boule de céleri-rave
4 pommes acides
(granny-smith)
1 litre de lait
100 g de féta
sel, poivre, noix
muscade

Faisan bohémien et purée de pommes et céleri (suite)

À savourer avec un moulis.

❖ Pelez les pommes, coupez-les en quartiers. Ajoutez-les au céleri et laissez cuire encore 10 minutes. Passez au moulin à légumes avec un peu de jus de cuisson pour détendre la purée. Versez dans un plat à soufflé beurré, parsemez de dés de féta.

❖ Après 40 minutes de cuisson, ajoutez les noix et les topinambours autour du faisan. Recouvrez avec une feuille d'aluminium, mettez dans le bas du four et éteignez. Attendez 5 minutes pour que toutes les saveurs se mélangent.

❖ Faites chauffer le gril en même temps et faites gratiner la purée de céleri quelques minutes en surveillant qu'elle ne brûle pas.

Le faisan, fassianos, *était déjà apprécié à Rome. Au Moyen Âge, on le saupoudrait de cannelle pour le rendre digeste. Au XIX*e *siècle, Anthelme Brillat-Savarin, magistrat et gastronome, préparait du faisan aux oranges pour régaler ses invités.*
Quant au topinambour, il est aujourd'hui méprisé. À tort. Sa saveur légèrement sucrée lui a valu le surnom de « poire de terre ».

Lapin confit aux poireaux

❖ Rangez les morceaux de lapin dans un plat, salez, poivrez. Posez le romarin sur le lapin, versez 2 cuillerées à soupe d'huile d'olive. Réservez 1 heure au frais.

❖ Coupez une partie du vert des poireaux. Fendez-les, tronçonnez-les, passez-les sous l'eau froide, en veillant à bien enlever la terre logée entre les feuilles, égouttez-les. Coupez-les en rondelles.

❖ Faites chauffer 1 cuillerée à soupe d'huile d'olive dans une cocotte en fonte, faites-y dorer le lapin 4 minutes, puis retirez-le. Mettez les rondelles de poireaux dans la cocotte, salez, poivrez, ajoutez de la noix muscade. Laissez cuire à feu doux 5 minutes, à découvert. Remettez le lapin, le romarin, versez le jus de l'orange. Couvrez et laissez confire doucement une trentaine de minutes.

❖ Retirez le lapin. Enlevez les poireaux avec une écumoire, rangez-les dans un plat, posez le lapin dessus. Mettez la féta coupée en dés dans la cocotte, mélangez bien. Arrosez le lapin et servez.

Préparation : 20 min

Macération : 1 h

Cuisson : 40 min

Pour 6 personnes
1 beau lapin de 1,6 kg coupé en morceaux
2 kg de poireaux
orange
1 branche de romarin
100 g de féta
3 cuillerées à soupe d'huile d'olive
sel, poivre, noix muscade

À savourer avec un beaujolais-villages.

On dit que le poireau est l'asperge du pauvre. Au XVIIIe siècle, le docteur Smellie le prescrivait contre les toux, rhumes et bronchites.

Lapin des bois et gratin au pourpier

Préparation : 30 min

Macération : 12 h

Cuisson : 45 min

Pour 6 personnes
1 beau lapin de 1,6 kg coupé en morceaux moyens
6 belles échalotes
1 tête d'ail
125 g de girolles
250 g de pieds-de-mouton
4 cuillerées à soupe d'huile d'olive
quelques branches de thym
sel, poivre

❖ La veille, mettez les morceaux de lapin dans un plat avec du sel, du poivre, 2 cuillerées à soupe d'huile d'olive et du thym émietté en veillant à ce que chaque morceau soit bien enrobé.

❖ Laissez macérer 12 heures au frais.

❖ Le jour même, préchauffez le four à 210 °C (th. 7) en laissant deux grilles à l'intérieur.

❖ Préparez le gratin : pelez les pommes de terre et lavez-les. Coupez-les en rondelles, salez, poivrez. Rangez-les dans un plat allant au four en intercalant du fromage râpé entre les couches.

❖ Pelez et hachez l'ail. Lavez le pourpier et coupez-le grossièrement. Faites bouillir le lait avec un peu de noix muscade, 1 pincée de gros sel, du poivre et l'ail haché. Jetez-y le pourpier, versez la préparation sur les pommes de terre. Saupoudrez de fromage râpé.

❖ Mettez dans le bas du four et laissez cuire 45 minutes.

❖ Pelez la tête d'ail et les échalotes. Coupez le pied sableux des champignons, lavez ceux-ci soigneusement.

❖ Dans une cocotte en fonte, mettez 1 à 2 cuillerées à soupe d'huile d'olive. Faites-y blondir les échalotes et l'ail 5 minutes. Ajoutez les morceaux de lapin et laissez dorer 5 minutes à feu doux. Versez la préparation dans un plat en terre. Ajoutez les champignons.

❖ Quand le gratin a cuit 20 minutes, enfournez le lapin et laissez cuire 25 minutes. Le lapin et le gratin doivent être cuits en même temps.

Pour le gratin

1 kg de pommes de terre à chair ferme
250 g de pourpier
250 g de fromage râpé
3 gousses d'ail
1 cuillerée à soupe d'huile d'olive
50 cl de lait
gros sel, sel, poivre, noix muscade

À savourer avec un saint-joseph.

L'introduction de la pomme de terre a été en France une véritable révolution. Au moment de la disette de 1769, l'Académie de Besançon propose un prix à celui qui trouvera les végétaux capables de nourrir les estomacs affamés. Auguste Parmentier, pharmacien de son état, se lance dans la culture de la pomme de terre. Il en fait même du pain et des biscuits !

Lapin doré aux courgettes

Préparation : 10 min

Macération : 24 h

Cuisson : 40 min

Pour 6 personnes
1 beau lapin de 1,6 kg coupé en morceaux
6 belles courgettes
3 oignons
6 gousses d'ail
3 cuillerées à soupe d'huile d'olive
quelques branches de romarin
quelques pincées de fromage râpé (parmesan ou pecorino)
sel, poivre

À savourer avec un côtes-du-ventoux.

❖ La veille, mettez les morceaux de lapin dans un plat avec les branches de romarin. Badigeonnez-les d'huile d'olive, salez, poivrez. Réservez au frais.

❖ Le jour même, préchauffez le four à 250 °C (th. 8-9).

❖ Lavez les courgettes et coupez-les en rondelles. Pelez les oignons, coupez-les en quatre. Dans un plat huilé allant au four, rangez tous les légumes avec l'ail non pelé. Faites cuire 20 minutes au four.

❖ Baissez ensuite la température à 225 °C (th. 7-8). Posez le lapin sur les légumes. Laissez la cuisson se poursuivre encore de 20 à 30 minutes. Saupoudrez de fromage râpé et faites gratiner rapidement. Servez aussitôt.

Les Romains utilisaient beaucoup l'huile d'olive. Ils avaient aussi à leur disposition des huiles obtenues à partir de la moutarde, du radis, de la nielle, de la myrte, du sésame, des fruits du lentisque, des baies de térébinthe, du laurier ou du lis. L'omphacine était confectionnée avec des olives vertes. Reconnue plus astringente que l'huile des olives noires, elle était préférée dans certains cas.

Paupiettes de lapin au chèvre et à la menthe

❖ Rincez la crépine, égouttez-la. Dans un saladier, mélangez le chèvre et la menthe ciselée. Réservez un peu de menthe pour la décoration. Salez, poivrez.

❖ Étalez la crépine sur la table. Coupez le lapin en 5 morceaux. Mettez une boule de farce au milieu de chacun et enveloppez chaque morceau de crépine. Gardez un peu de farce pour la sauce. Rangez dans une cocotte en fonte ou une sauteuse en cuivre.

❖ Préchauffez le four à 200 °C (th. 6-7). Enfournez les paupiettes dans le four chaud et laissez cuire 30 minutes.

❖ Faites cuire les pâtes selon le temps indiqué sur le paquet dans un grand volume d'eau salée avec quelques gouttes d'huile d'olive. Quand elles sont *al dente*, égouttez-les et répartissez-les dans les assiettes. Posez un morceau de lapin dessus. Réservez au chaud.

❖ Mélangez le reste de farce avec le yaourt. Mettez la cocotte ou la sauteuse sur le feu, versez-y la sauce au yaourt, grattez bien le fond pour dissoudre les sucs. Hors du feu, parsemez de menthe fraîche ciselée. Versez sur les pâtes.

Préparation : 20 min

Cuisson : 30 min

Pour 5 personnes
1 beau lapin de 1,6 kg
désossé
par votre volailler
350 g de pâtes fraîches
1/2 crépine de porc
3 fromages de chèvre
demi-secs
1 yaourt
1 bouquet de menthe
fraîche
huile d'olive
sel, poivre

À savourer avec un cahors.

Stifado de lièvre

Préparation : 20 min

Cuisson : 1 h

Pour 6 personnes
1 lièvre coupé en morceaux
500 g de tomates
800 g d'oignons
5 cuillerées à soupe d'huile d'olive
2 feuilles de laurier
5 baies de piment de Jamaïque
1 cuillerée à café de gros sel
poivre

❖ Ébouillantez les tomates, Pelez-les, épépinez-les et concassez-les. Pelez les oignons et coupez-les en petits morceaux.

❖ Mettez l'huile d'olive à chauffer dans une cocotte. Faites bien revenir le lièvre. Ajoutez les oignons, remuez quelques secondes. Versez les tomates, laissez sécher quelques secondes à feu vif. Ajoutez le piment de Jamaïque, le laurier, couvrez et laissez mijoter 1 heure. À mi-cuisson, ajoutez 1 cuillerée à café de gros sel et du poivre.

❖ Servez avec du riz ou des pâtes.

À savourer avec un vin rouge de Néméa, dit « sang d'hercule ».

L'école de Salerne est une communauté médicale fondée dans la région de Naples au IXe siècle. L'alimentation y est variée, à base de pain frais et de bons produits. Il faut éviter les salaisons, la chèvre et les gibiers qui contribuent à la mélancolie des humeurs, excepté en hiver : les fibres du corps se resserrant, les dépenses énergétiques augmentent, et on peut alors manger des nourritures plus roboratives comme le lièvre.

Pigeons aux noix et crêpes de pavot

❖ Huilez un plat allant au four, saupoudrez-le de thym et de laurier. Posez dedans les pigeons.

❖ Arrosez les pigeons d'un peu d'huile d'olive et de vinaigre. Laissez macérer 1 heure au frais.

❖ Cassez les noix. Lavez le raisin, détachez les grains. Avec la pointe d'un couteau, ôtez les pépins au-dessus d'un saladier pour recueillir le jus.

❖ Laissez les grains de raisin dans leur jus avec les noix.

❖ Préparez la pâte à crêpes : dans un plat, battez l'œuf entier et le jaune avec la farine. Salez, poivrez, ajoutez le lait et les graines de pavot. Fouettez bien. Laissez reposer la pâte au frais 1 heure.

❖ Préchauffez le four à 230 °C (th. 7-8).

❖ Mettez les pigeons dans le four chaud et laissez cuire 40 minutes.

❖ Faites chauffer un peu d'huile d'olive dans une poêle. Versez trois demi-louches de pâte en les espaçant. Laissez cuire 1 minute à feu doux sur une face.

Préparation : 25 min

Macération : 1 h

Repos de la pâte : 1 h

Cuisson : 40 min

Pour 4 personnes
4 petits pigeons
500 g de raisin frais
8 noix fraîches
2 cuillerées à soupe d'huile d'olive
1 cuillerée à soupe de vinaigre de vin
thym, laurier
sel, poivre

Pour les crêpes
100 g farine
1 œuf et 1 jaune
25 cl de lait
50 g de graines de pavot
1 cuillerée à soupe d'huile d'olive
sel, poivre

Pigeons aux noix et crêpes de pavot (suite)

À savourer avec un crozes-hermitage.

❖ Retournez ces trois crêpes, faites-les cuire 1 minute sur l'autre face et mettez-les en attente au chaud pendant que vous faites les autres crêpes.

❖ Cinq minutes avant la fin de la cuisson des pigeons, ajoutez le raisin et les noix dans le plat.

❖ Vous pouvez servir les crêpes à part ou les disposer autour du pigeon.

Asclépiade de Bithynie exerçait son métier de médecin au Ier siècle, sous Pompée. Fervent adepte de l'eau, il reçut le titre de « donneur d'eau froide », mais il prescrivait aussi des décoctions de pavot ou jusquiame en cas de fièvres légères.

Soupe avgolemono et salade de pigeon

❖ Faites bouillir 2 litres d'eau dans une casserole. Ajoutez le gros sel.

❖ Dès l'ébullition, plongez les pigeons dans l'eau, poivrez et laissez cuire doucement 15 minutes. Enlevez les pigeons avec une écumoire.

❖ Faites repartir l'ébullition, versez le riz égoutté dans la casserole et laissez cuire de 10 à 20 minutes selon le temps de cuisson du riz choisi.

❖ Battez les œufs avec du sel et du poivre. Goutte à goutte, ajoutez le jus du citron puis, louche après louche, le bouillon, en fouettant vivement pour obtenir une sauce avgolemono onctueuse, servie comme soupe.

❖ Vous servirez cette soupe avec du pecorino ou du parmesan râpé, le jus d'un citron assaisonné de quelques gouttes d'huile d'olive.

❖ Plongez les fèves ainsi que les amandes 5 minutes dans de l'eau bouillante salée. Égouttez-les et pelez-les. Cassez les noix. Rincez, égouttez le mesclun, réservez dans un linge au frais. Rincez les abricots, coupez-les en deux.

Préparation : 30 min

Cuisson : 30 min

Pour 4 personnes
2 pigeons
250 g de mesclun
100 g de riz lavé
4 abricots secs
6 noix
2 œufs
1 citron
50 g de parmesan ou de pecorino
500 g de tomates
4 cuillerées à soupe d'huile d'olive
1 cuillerée à soupe de vinaigre balsamique
6 brins de menthe fraîche
6 filaments de safran
100 g de fèves écossées
50 g d'amandes non pelées
1 cuillerée à café de gros sel
sel, poivre

Soupe avgolemono et salade de pigeon (suite)

À savourer avec un listrac-médoc pour sa pointe de cannelle.

❖ Lavez les tomates et coupez-les en quartiers. Préparez une vinaigrette avec l'huile d'olive, le vinaigre balsamique, le safran, du sel et du poivre.

❖ Désossez les pigeons, mettez leur chair dans un saladier avec les abricots, les amandes, les fèves et les tomates. Versez la moitié de la vinaigrette, remuez.

❖ Servez sur le mesclun assaisonné avec le reste de la vinaigrette, recouvrez de pecorino émincé finement. Ciselez la menthe fraîche dessus, puis décorez avec quelques feuilles entières.

Voilà un véritable plat complet. Les pigeons achetés chez le volailler sont des pigeonneaux jeunes et sains. Les médecins de l'Antiquité préconisaient la consommation d'oiseaux dans les régimes alimentaires.

Pintade en croûte de thym et cake de polenta

❖ Mélangez l'huile d'olive et le jus du pamplemousse. Versez la moitié du mélange dans un grand plat allant au four. Saupoudrez de fleur de sel, poivrez, émiettez la moitié du thym, posez dessus la pintade bien à plat. Versez le reste du mélange au pamplemousse, parsemez du reste de thym, saupoudrez d'un peu de sel fin, poivrez. Laissez macérer de 2 à 3 heures sous une feuille d'aluminium.

❖ Préchauffez le four à 175 °C (th. 5-6) en laissant deux grilles à l'intérieur.

❖ Pelez les pommes, coupez-les en deux horizontalement de façon à voir la rosace centrale, enlevez les pépins, arrosez du jus du demi-citron. Quand le four est chaud, enfournez la pintade sur la grille la plus haute et laissez-la cuire 30 minutes.

❖ Préparez le cake : versez 1 litre d'eau dans une casserole. Salez copieusement, poivrez, ajoutez de la noix muscade et 2 cuillerées à soupe d'huile d'olive. Dès que l'eau bout, posez la casserole sur un diffuseur de chaleur ou laissez-la sur feu très doux.

Préparation : 30 min

Macération : 2 à 3 h

Cuisson : 40 min

Pour 6 personnes
1 belle pintade ouverte en crapaudine
1 pamplemousse
1/2 citron
6 pommes granny-smith
3 cuillerées à soupe d'huile d'olive
quelques branches de thym
1 cuillerée à café rase de fleur de sel
sel, poivre

Pour le cake
200 g de semoule de maïs
1 noix de beurre
50 g de parmesan
3 pincées de graines de sésame
2 branches de persil
2 cuillerées à soupe d'huile d'olive
sel, poivre, noix muscade

Pintade en croûte de thym et cake de polenta (suite)

À savourer avec un pomerol pour son velours.

❖ Versez la semoule en pluie et tournez sans cesse jusqu'à épaississement mais sans trop sécher la pâte.

❖ Hors du feu, ajoutez une noix de beurre et un peu de parmesan râpé. Versez dans un moule à cake en porcelaine huilé. Garnissez de copeaux de parmesan taillés avec un large couteau économe, de graines de sésame et de persil haché. Laissez tiédir sous un torchon.

❖ Après 30 minutes de cuisson, mettez les pommes autour de la pintade en plaçant la face coupée vers le haut et glissez le plat sur la grille la plus basse.

❖ Enfournez en même temps le cake de polenta sur la grille haute. Comptez 10 minutes et portez aussitôt à table.

C'est vers 1560 que la pintade est introduite en France. Si les Égyptiens la considéraient comme un gibier, elle a été considérée par la suite comme un animal nuisible, puis sacré avant d'être domestiquée et consommée. On l'appelle alors « poule de Turquie » ou « poule d'Inde ».

Cuisses de poulet aux oignons et ragoût de légumes

Préparation : 30 min

Cuisson : 40 min

Pour 6 personnes

6 cuisses de poulet fermier
3 oignons
4 tomates
6 graines de cardamome (ou 1 cuillerée à café de cardamome en poudre)
1 cuillerée à café de piment doux moulu
1 poignée de raisins secs
1 cuillerée à café de cannelle
1 cuillerée à café d'origan
1 cuillerée à soupe d'huile d'olive
sel, poivre

❖ Pelez et émincez les oignons. Ébouillantez toutes les tomates, pelez-les, coupez-les en deux, pressez-les pour ôter l'eau et les pépins.

❖ Concassez 4 tomates, réservez dans une jatte puis concassez la chair de toutes les autres séparément. Réservez.

❖ Mettez 1 cuillerée à soupe d'huile d'olive à chauffer dans une cocotte. Faites-y dorer les cuisses de poulet, salez, poivrez. Retirez les cuisses et posez-les sur une assiette.

❖ À la place, mettez les oignons avec les épices dans la cocotte, laissez-les dorer. Ajoutez les 4 tomates concassées à la préparation, mélangez quelques secondes.

❖ Remettez les cuisses de poulet dans la cocotte et ajoutez les raisins. Salez, poivrez de nouveau. Couvrez à demi et laissez cuire doucement 30 minutes.

❖ Pendant ce temps, pelez, lavez et coupez les pommes de terre en dés. Pelez l'oignon et émincez-le.

Cuisses de poulet aux oignons et ragoût de légumes (suite)

Pour le ragoût
500 g de pommes de terre
250 g de tomates
1 oignon
1 cuillerée à soupe d'huile d'olive
1 cuillerée à soupe de graines de coriandre
1 cuillerée à café de graines de cumin
sel, poivre

❖ Faites revenir les pommes de terre, l'oignon avec les épices dans l'huile d'olive chaude. Versez le reste des tomates concassées. Salez, poivrez.

❖ Faites cuire 20 minutes environ, jusqu'à ce que les pommes de terre soient cuites et le jus évaporé.

À savourer avec un fleurie pour sa souplesse.

Aldebrandin de Sienne écrit en 1256 un Traité de diététique pour conserver la santé *à la demande de la comtesse de Provence. Il souscrit à la mode des épices et conseille la cardamome pour rendre les volailles plus digestes.*

Émincé de poulet aux pamplemousses

❖ Pelez les pamplemousses à vif en entamant la pulpe. Séparez les quartiers et retirez les peaux blanches, en recueillant le jus au-dessus d'un saladier.

❖ Émincez les blancs de poulet. Dans un autre saladier, mettez le poulet, saupoudrez de thym, paprika, fleur de sel, poivre. Versez la pulpe des pamplemousses et 2 cuillerées à soupe d'huile d'olive. Ajoutez l'ail non pelé. Laissez macérer 1 heure au frais. Cassez les noix.

❖ Préparez l'accompagnement : pelez et émincez l'oignon, faites-le blondir dans un peu d'huile d'olive chaude. Mesurez le riz et préparez le double de son volume en eau bouillante. Versez le riz sur l'oignon. Mélangez bien. Arrosez avec l'eau bouillante. Ajoutez le bâton de cannelle, la cardamome et les raisins. Salez, poivrez.

❖ Laissez cuire doucement de 20 à 30 minutes, à couvert, jusqu'à ce que le liquide soit absorbé.

❖ Pendant ce temps, égouttez les morceaux de poulet et faites-les dorer dans 1 cuillerée à soupe d'huile d'olive chaude.

Préparation : 20 min

Macération : 1 h

Cuisson : 35 min

Pour 6 personnes
6 beaux blancs de poulet fermier
2 pamplemousses
6 gousses d'ail
12 noix
1 poignée de thym séché
3 cuillerées à soupe d'huile d'olive
sel, poivre, paprika, fleur de sel

Pour l'accompagnement
250 g de riz brun
1 petit oignon
1 bâton de cannelle
6 graines de cardamome (ou 1 cuillerée à café de cardamome en poudre)
1 poignée de raisins secs
1 cuillerée à soupe d'huile d'olive
1 noix de beurre
sel, poivre

Émincé de poulet aux pamplemousses (suite)

À savourer avec un graves.

❖ Ajoutez le contenu du saladier, le jus des pamplemousses et les noix. Rectifiez l'assaisonnement. Laissez la cuisson se poursuivre encore 10 minutes.

❖ Quand le riz est cuit, enlevez le bâton de cannelle, ajoutez une noix de beurre. Répartissez dans les assiettes, faites un creux au milieu et nichez-y le poulet.

Né en Espagne en 1238, Arnaud de Villeneuve devient le médecin du roi d'Aragon. Il nomme l'ail la « thériaque du campagnard ». En fait la thériaque est une préparation dont l'origine remonterait à l'Antiquité et qui mêlait les épices au venin de vipère. C'était un remontant consommé par les Croisés en prévention des maladies.

Poulet au citron persillé et pets de patate

Préparation : 15 min

Macération : quelques heures

Cuisson : 45 min

Pour 6 personnes

1 beau poulet fermier de 1,8 kg préparé en crapaudine
12 petites pommes de terre à chair ferme (BF 15, roseval, ratte)
4 cuillerées à soupe d'huile d'olive
1 citron
quelques branches de thym
quelques branches de persil plat
sel, poivre

À savourer avec un arbois rouge.

❖ Quelques heures avant le repas, mettez le poulet à mariner dans le plat de cuisson avec l'huile d'olive, le jus du citron, le thym, du sel et du poivre.

❖ Préchauffez le four à 180 °C (th. 6).

❖ Pelez les pommes de terre, lavez-les et rangez-les autour du poulet. Glissez le plat en haut du four et laissez cuire 45 minutes sans plus vous soucier de rien. Le poulet doit être bien grillé, les pommes de terre boursouflées. Au besoin, augmentez la chaleur.

❖ Au moment de porter le plat à table, parsemez-le de persil ciselé.

Du XVIIe au XVIIIe siècle, la vie mondaine complique les mœurs. En 1690, le duc d'Aumont fait servir 171 plats pour 42 invités. Madame de Sévigné regrette la vie simple qu'elle mène aux Rochers. Son choix se porte vers des nourritures naturelles. Elle préfère l'agneau et le poulet au bœuf. Sans le savoir, notre bonne marquise choisissait ses viandes à la mode crétoise !

Poulet sauté aux gombos

Préparation : 30 min

Cuisson : 40 min

Pour 6 personnes
1 poulet fermier
de 1,8 kg
coupé en morceaux
1 kg de gombos
500 g de tomates
1 oignon
3 cuillerées à soupe
d'huile d'olive
1 bâton de cannelle
sel, poivre

À savourer avec un coteaux-du-languedoc rosé.

❖ Essuyez les gombos, enlevez délicatement le trognon sans entailler la chair du légume. Ébouillantez les tomates, rafraîchissez-les, enlevez la peau et les pépins, concassez-les. Pelez l'oignon et coupez-le finement.

❖ Faites chauffer l'huile d'olive dans une cocotte, faites-y revenir le poulet. Ajoutez les tomates et l'oignon. Laissez quelques secondes sur feu vif en remuant, salez, poivrez.

❖ Ajoutez les gombos et la cannelle dans la cocotte. Couvrez et laissez cuire sur feu doux 40 minutes en prenant soin de secouer la cocotte de temps en temps pour ne pas abîmer les gombos avec une spatule.

Dans son Essai sur les maladies des gens du monde, *publié en 1770, Samuel-Auguste Tissot juge que les hommes qui bougent peu deviennent pessimistes. Il faut modifier leur régime en adaptant la quantité des aliments ingérés au travail fourni. Ainsi le poulet est recommandé car c'est une viande digeste, de même que le légume qui l'accompagne. Vous pouvez remplacer les gombos par des haricots verts moyens ou des cocos, c'est tout aussi excellent.*

Poulet des moines et sauce aux noix

❖ Pelez l'ail et enlevez le germe, écrasez-le du plat de la lame d'un couteau.

❖ Faites chauffer l'huile d'olive dans une cocotte. Mettez-y le poulet, salez, poivrez et ajoutez la coriandre. Quand tous les morceaux sont dorés de chaque côté, versez les yaourts, ajoutez l'ail et le bouquet garni. Couvrez et laissez cuire 20 minutes à feu doux.

❖ Pendant ce temps, cassez et concassez les noix. Coupez la féta en dés.

❖ Quand les morceaux de poulet sont cuits, retirez-les avec une écumoire, rangez-les dans le plat de service. Ajoutez la féta et les noix dans la cocotte, grattez bien le fond du récipient avec une spatule pour dissoudre les sucs. Versez la sauce sur le poulet.

❖ Servez avec du riz ou des pommes de terre vapeur.

Préparation : 15 min

Cuisson : 20 min

Pour 6 personnes

1 beau poulet fermier
de 1,8 kg
coupé en morceaux
200 g de féta
2 yaourts
12 noix
1 gousse d'ail
1 cuillerée à café
de coriandre en poudre
1 cuillerée à soupe
d'huile d'olive
1 bouquet garni
sel, poivre

À savourer avec un crozes-hermitage.

Depuis la nuit des temps, l'ail est prescrit comme antiseptique. Au Moyen Âge, on le pilait avec des noix, des amandes, du pain et on montait la sauce avec un bouillon. C'était un reconstituant solide qu'on appelait « aillée ».

Poulet rôti à la tomate

Préparation : 25 min

Cuisson : 1 h

Pour 6 personnes
1 poulet de 1,8 kg coupé en morceaux
18 pommes de terre charlottes de Noirmoutier
3 belles tomates
1 oignon
3 cuillerées à soupe d'huile d'olive
1 citron
2 feuilles de laurier
1 cuillerée à café de thym séché
1 cuillerée à café d'origan séché
sel, poivre

À savourer avec un vin rouge de Provence pour sa tendresse.

❖ Préchauffez le four à 200 °C (th. 6-7).

❖ Pelez, lavez les pommes de terre, égouttez-les, faites une légère incision au milieu, mettez-les dans un linge. Lavez les tomates, coupez-les en rondelles. Pelez l'oignon et coupez-le en rondelles. Salez, poivrez.

❖ Faites un lit d'origan et de thym dans un grand plat allant au four, salez, poivrez. Posez le poulet dessus. Rangez les pommes de terre autour du poulet, les tomates sur les pommes de terre, les rondelles d'oignon sur les tomates, et le laurier par-dessus. Arrosez avec l'huile d'olive et le jus de la moitié du citron, salez, poivrez. Mettez au four et laissez cuire 30 minutes.

❖ Sortez ensuite le plat du four, mélangez les légumes, ajoutez un peu d'eau si nécessaire. Coupez le reste du citron en rondelles et posez celles-ci sur le poulet. Remettez au four et laissez cuire encore 30 minutes.

Héliogabale, empereur romain du IIIe siècle de notre ère, faisait cuire le poulet dans l'huile et le vin avec un bouquet de vert de poireaux, de la coriandre et de la sarriette. Il fallait ensuite écraser des pignons avec du poivre, ajouter du lait, lier la sauce obtenue avec des blancs d'œufs battus et en napper le poulet.

Youvetsi

❖ Ébouillantez les tomates, pelez-les, épépinez-les et concassez-les. Pelez et râpez l'oignon.

❖ Préchauffez le four à 180 °C (th. 6).

❖ Faites chauffer l'huile d'olive dans une cocotte, faites-y dorer 5 minutes le poulet sur toutes ses faces avec le gros sel et du poivre. Ajoutez les tomates, le vin blanc, l'oignon, le laurier, la cannelle. Couvrez. Laissez mijoter de 20 à 30 minutes. Retirez le poulet de la cocotte avec une écumoire.

❖ Dans un grand plat à feu, disposez les pâtes, versez la sauce de cuisson du poulet, vérifiez l'assaisonnement et mélangez bien. Posez le poulet sur les pâtes, recouvrez de fromage râpé. Faites cuire 15 minutes au four. Surveillez la cuisson. Au besoin, ajoutez un peu d'eau si vous voyez que les pâtes accrochent.

❖ Quand les pâtes sont cuites, passez le plat sous le gril quelques secondes.

Préparation : 30 min

Cuisson : 45 min

Pour 6 personnes
1 beau poulet fermier de 1,8 kg
coupé en morceaux
500 g de tomates
500 g de petites pâtes (fusillinis ou langues d'oiseau)
1 oignon
20 cl de vin blanc
1 bâton de cannelle
2 feuilles de laurier
50 g de parmesan
ou de pecorino
10 cl d'huile d'olive
1 cuillerée à café
de gros sel gris,
poivre

À savourer avec un minervois.

En 1825, les docteurs Buchez et Trélat expliquent qu'il ne faut pas abuser des viandes fumées. Ils préconisent plutôt la volaille pour rester en bonne santé.

Agneau de lait au blé concassé

Préparation : 10 min
Trempage du boulghour : 24 h
Cuisson : 25 min

Pour 6 personnes
1 gigot d'agneau de lait coupé en morceaux
250 g de boulghour
125 g d'olives noires
4 oignons
3 gousses d'ail
2 yaourts au lait de brebis
2 citrons
6 clous de girofle
6 graines de cardamome
1 feuille de laurier
quelques branches de menthe fraîche
1 cuillerée à café de cannelle et de cumin en poudre
1 pincée de piment doux
3 cuillerées à soupe d'huile d'olive
sel, poivre

À savourer avec un minervois.

❖ La veille, faites tremper le boulghour dans une terrine d'eau froide.

❖ Le jour même, égouttez le boulghour. Pelez et émincez les oignons, faites-les dorer dans l'huile d'olive chaude.

❖ Ajoutez la cannelle, le cumin, les clous de girofle, la cardamome écrasée et le laurier. Mélangez bien.

❖ Ajoutez ensuite la viande, les yaourts, le piment doux, l'ail non pelé et les olives. Salez, poivrez. Couvrez et laissez mijoter 15 minutes.

❖ Recouvrez la viande avec le boulghour. Versez le jus des citrons. Rectifiez l'assaisonnement. Couvrez et laissez cuire 5 minutes supplémentaires. Ciselez la menthe au-dessus de la viande et servez.

L'agneau de lait est âgé de 4 à 6 semaines. Il se cuisine à point.

Agneau « ilote »

❖ Préchauffez le four à 225 °C (th. 7-8). Pelez et essuyez les pommes de terre.

❖ Huilez la lèchefrite du four, saupoudrez-la de gros sel, parsemez de thym et de laurier.

❖ Dégraissez bien le gigot et posez-le sur les herbes, salez, poivrez, arrosez avec 1 cuillerée à soupe d'huile d'olive. Entourez le gigot avec les pommes de terre. Faites cuire 40 minutes au four.

❖ Écossez les fèves, disposez-les autour du gigot 5 minutes avant la fin de la cuisson.

❖ Éteignez le four, saupoudrez de sarriette et laissez reposer 10 minutes, porte ouverte.

Préparation : 30 min

Cuisson : 50 min

Pour 8 personnes
1 gigot d'agneau de 2 kg
8 pommes de terre nouvelles
500 g de petites fèves
3 branches de thym
1 feuille de laurier
1 branche de sarriette
2 cuillerées à soupe d'huile d'olive
1 cuillerée à café de gros sel gris
sel, poivre

À savourer avec un bandol rouge.

Guettez la venue des fèves au début du printemps. Faites-vous aider pour les écosser, c'est le plus laborieux. Si les fèves sont un peu grosses, il faut les plonger dans de l'eau bouillante pour enlever la première peau.

Carré d'agneau aux légumes nouveaux

Préparation : 25 min

Macération : 30 min

Cuisson : 40 min (soit 10 min par livre de viande)

Pour 8 à 9 personnes
1 carré d'agneau de 2 kg
6 carottes
6 navets nouveaux
12 petites pommes de terre
6 gousses d'ail
1 citron
3 cuillerées à soupe d'huile d'olive
quelques branches de thym
quelques branches de persil
sel, poivre

À savourer avec un pauillac.

❖ Huilez un grand plat allant au four. Posez le carré d'ageau, entourez-le des gousses d'ail non pelées. Saupoudrez de sel, poivre, thym effeuillé. Répartissez l'huile d'olive et laissez macérer 30 minutes.

❖ Préchauffez le four à 200 °C (th. 6-7).

❖ Pelez les carottes, coupez-les en quatre de haut en bas. Pelez les navets et les pommes de terre. Rincez les légumes, entourez-en la viande, arrosez-les du jus du citron. Salez, poivrez. Mettez au four et laissez cuire 40 minutes.

❖ Laissez reposer 10 minutes dans le four éteint, porte ouverte. Au moment de servir, saupoudrez de persil haché.

L'ail nouveau arrive sur les marchés en juin. Cuit en chemise (c'est-à-dire non pelé), il devient fondant. Il suffit alors de l'écraser pour lier la sauce et lui donner un subtil goût de noisette.

Épaule d'agneau confite

❖ Préchauffez le four à 200 °C (th. 6-7).

❖ Épluchez les carottes et les courgettes. Épluchez le poireau et lavez-le soigneusement. Effilez les branches du céleri. Coupez le poireau, les carottes et les courgettes en rondelles moyennes, le céleri en bâtonnets. Pelez les échalotes et laissez-les entières.

❖ Dégraissez l'épaule en enlevant la graisse du dessus.

❖ Versez 1 cuillerée à soupe d'huile d'olive dans un grand plat allant au four. Saupoudrez de 1 cuillerée à café de gros sel. Étalez le poireau, les courgettes, les carottes. Posez 1 branche de thym et le laurier, versez 1 cuillerée à soupe d'huile d'olive, 1 cuillerée à café de gros sel, la moitié du poivre et de la coriandre.

❖ Mettez l'épaule sur les légumes, rangez autour les échalotes et l'ail non pelé, saupoudrez du reste de gros sel, de poivre, de coriandre et de thym. Versez la dernière cuillerée d'huile d'olive.

❖ Faites cuire l'épaule 50 minutes au milieu du four. Allumez ensuite le gril et laissez caraméliser les sucs 5 minutes.

Préparation : 10 min

Cuisson : 1 h

Pour 4 à 5 personnes

1 épaule d'agneau de 1,5 kg
2 carottes
1 poireau
2 courgettes
1/2 céleri
6 échalotes
6 gousses d'ail
3 cuillerées à soupe d'huile d'olive
2 feuilles de laurier
2 branches de thym frais
3 cuillerées à café de gros sel gris
1 cuillerée à café de poivre
1 cuillerée à café de graines de coriandre concassées

À savourer avec un vin rouge de Naoussa.

Gigot d'agneau à la confiture d'aubergines

Préparation : 10 min

Cuisson : 40 min

Pour 6 à 8 personnes
1 gigot désossé, coupé en 18 morceaux environ
4 aubergines moyennes
4 oignons moyens
6 gousses d'ail
18 fonds d'artichaut surgelés
1 citron
5 cuillerées à soupe d'huile d'olive
6 branches de persil
3 branches de thym
2 feuilles de laurier
sel, poivre

❖ Faites bouillir une grande casserole d'eau, ajoutez le jus du citron, plongez-y la moitié des fonds d'artichaut et comptez 5 minutes à partir de la reprise de l'ébullition.

❖ Retirez les fonds avec une écumoire et mettez-les dans une passoire. Plongez le reste des artichauts dans l'eau bouillante et laissez-les également 5 minutes à partir de la reprise de l'ébullition. Laissez-les égoutter.

❖ Pelez et émincez les oignons. Rincez et épongez le persil. Coupez les aubergines en gros dés.

❖ Dégraissez la viande. Salez-la, poivrez-la et parsemez-la de thym effeuillé.

❖ Faites chauffer 2 cuillerées à soupe d'huile d'olive dans une grande cocotte et faites-y dorer la viande, retirez-la avec une écumoire et posez-la sur un plat.

❖ Reversez 3 cuillerées à soupe d'huile d'olive dans la cocotte, faites blondir les oignons quelques secondes, salez, poivrez.

À savourer avec un châteauneuf-du-pape.

❖ Ajoutez les aubergines, mélangez bien et laissez cuire quelques minutes pour faire évaporer l'eau de végétation. Salez, poivrez.

❖ Ajoutez 2 branches de persil, le laurier et l'ail non pelé dans la cocotte. Remettez la viande et posez les artichauts dessus. Couvrez et laissez cuire doucement de 30 à 40 minutes.

❖ Présentez la viande au centre de chaque assiette, entourée des fonds d'artichaut emplis de confiture d'oignons et d'aubergines. Ciselez le reste du persil audessus pour donner de la couleur.

Vous pouvez accompagner ce plat d'un riz pilaf parfumé au curcuma. Sa belle couleur dorée donnera de l'éclat à cette recette. Dans ce cas, comptez de 200 à 250 g de riz, basmati de préférence.

Gigot d'agneau au jus d'épices et aux poivrons rouges

Préparation : 30 min

Cuisson : 40 min

Pour 8 personnes
1 beau gigot de 2 kg environ
5 poivrons rouges
6 gousses d'ail
1 citron
1 cuillerée à café
de cannelle,
de cumin,
de coriandre en poudre
1 cuillerée à café de paprika et
d'origan
8 graines de cardamome
10 clous de girofle
3 cuillerées à soupe d'huile d'olive
1 petit bouquet de persil
1 feuille de laurier
1 cuillerée à café de gros sel gris
poivre

À savourer avec un hermitage.

❖ Lavez, essuyez les poivrons. Coupez-les en lanières fines. Rincez le persil, épongez-le.

❖ Versez 1 cuillerée à soupe d'huile d'olive dans la lèchefrite du four, parsemez de gros sel et de poivre. Rangez-y les poivrons avec le laurier, les clous de girofle et la cardamome.

❖ Posez le gigot dessus. Répartissez l'ail non pelé autour. Saupoudrez de cannelle, cumin, coriandre, paprika et origan. Arrosez avec 2 cuillerées à soupe d'huile d'olive.

❖ Coupez le citron en deux. Piquez une fourchette dans chaque moitié et pressez-les au-dessus du gigot.

❖ Préchauffez le four à 225 °C (th. 7-8).

❖ Mettez le plat dans le four chaud et laissez cuire 40 minutes. Laissez ensuite reposer 10 minutes dans le four éteint, porte ouverte. Servez parsemé de persil ciselé.

Au XVIe siècle, on mangeait tant d'ail à Paris pendant le mois de mai que l'air en était tout empesté.

Kleftiko et ratatouille crétoise

Préparation : 1 h

Cuisson : 1 h

Pour 6 personnes
1 épaule d'agneau de 1,5 kg
1 petit bouquet de thym
1 cuillerée à soupe d'huile d'olive

Pour la ratatouille
3 aubergines
3 courgettes
2 poivrons (1 vert et 1 rouge)
2 carottes
4 tomates
2 oignons
2 gousses d'ail
7 cuillerées à soupe d'huile d'olive
3 branches de basilic
gros sel gris,
sel, poivre

❖ Préchauffez le four à 200 °C (th. 6-7).

❖ Mettez l'épaule sur un lit de thym, avec sel, poivre et 1 cuillerée à soupe d'huile d'olive, dans un plat en terre ou une cocotte. Couvrez, mettez au four et laissez cuire 1 heure.

❖ Pendant ce temps, préparez la ratatouille : lavez les aubergines, les courgettes, les poivrons et les tomates. Retirez les pédoncules. Coupez les aubergines et les courgettes en rondelles moyennes. Coupez les poivrons en lanières épaisses. Coupez les tomates en quartiers. Grattez les carottes et coupez-les en rondelles fines. Pelez l'ail et retirez le germe, écrasez-le du plat de la lame d'un couteau. Pelez les oignons et émincez-les. Lavez et épongez le basilic.

❖ Dans une cocotte, faites revenir successivement, avec 4 cuillerées à soupe d'huile d'olive et 1 cuillerée à café de gros sel, les aubergines, les courgettes, les carottes et enfin les poivrons. Égouttez-les au fur et à mesure. Mettez-les dans un plat allant au four avec les feuilles de basilic entières et l'ail.

Kleftiko et ratatouille crétoise (suite)

À savourer avec un haut-médoc.

❖ Faites chauffer 1 cuillerée à soupe d'huile d'olive dans la cocotte et faites-y blondir les oignons 5 minutes. Étalez-les sur les légumes. Posez les tomates dessus. Salez, poivrez, arrosez avec 2 cuillerées à soupe d'huile d'olive.

❖ Quand l'épaule a cuit 45 minutes, baissez la température du four à 180 °C (th. 6) et enfournez le plat de légumes.

❖ Laissez-le 15 minutes le temps de confire les tomates. De ce fait, l'épaule et la ratatouille finissent de cuire en même temps.

L'histoire raconte que deux maquisards volèrent un agneau, d'où le nom du plat (« klefticos » signifiant « volé »). L'un le porte sur ses épaules tandis que l'autre le dépouille. Les voleurs descendent vers le rivage, lavent l'agneau dans l'eau de mer, font en sorte d'introduire l'agneau dans la poche de son estomac. Ils creusent un trou dans le sable, y nichent l'agneau, le recouvrent de branches et mettent le feu. De ce fait, le larcin est invisible et, comme la cuisson se fait à l'étouffée, les saveurs sont préservées.

Émincé de bœuf aux raisins

❖ Coupez la viande et le pecorino en lamelles épaisses, 1 heure avant le repas. Pelez l'ail, enlevez le germe.

❖ Dans une jatte, mélangez la viande, le fromage, les graines de coriandre, la fécule, la cannelle, l'ail écrasé du plat de la lame d'un couteau, le persil haché grossièrement, le samos, les raisins secs et 2 cuillerées à soupe d'huile d'olive. Salez, poivrez. Laissez macérer 1 heure au frais.

❖ Pelez les oignons et émincez-les finement Quelques minutes avant de passer à table, faites chauffer 1 cuillerée à soupe d'huile d'olive dans une poêle à revêtement antiadhésif et faites-y blondir les oignons 3 minutes, salez, poivrez. Ajoutez la viande et tout le contenu de la jatte.

❖ Laissez cuire à feu vif 4 minutes en remuant souvent. Ciselez de la coriandre fraîche au-dessus du plat. Servez aussitôt.

Préparation et cuisson : 20 min

Macération : 1 h

Pour 6 personnes

500 g de cœur de rumsteck
2 oignons moyens
1 gousse d'ail
1 cuillerée à soupe de graines de coriandre
1 cuillerée à café de cannelle
1 cuillerée à soupe rase de fécule
50 g de pecorino
2 cuillerées à soupe de samos (ou de porto)
1 bonne poignée de raisins secs
6 branches de persil
quelques branches de coriandre fraîche
3 cuillerées à soupe d'huile d'olive
sel, poivre

À savourer avec un pomerol.

La viande de bœuf doit être rouge et sa graisse blanche.

Chevreau à la jardinière de pois gourmands

Préparation : 15 min

Cuisson : 50 min

Pour 4 personnes
1/2 baron de chevreau
500 g de pois gourmands
6 gousses d'ail
3 branches de thym
1 branche de romarin
1 cuillerée à café de cannelle en poudre
1 cuillerée à café de cumin en poudre
4 cuillerées à soupe d'huile d'olive
sel, poivre

À savourer avec un côtes-du-rhône rouge.

❖ Préchauffez le four à 180 °C (th. 6).

❖ Versez 1 cuillerée à soupe d'huile d'olive dans la lèchefrite du four. Salez, poivrez, mettez-y l'ail non pelé, le thym et le romarin, posez le chevreau dessus. Salez, poivrez de nouveau, ajoutez la cannelle et le cumin, versez le reste d'huile d'olive.

❖ Quand le four est chaud, enfournez le plat et laissez cuire 40 minutes en vérifiant la cuisson et en arrosant de temps en temps avec le jus de cuisson rendu.

❖ Équeutez et effilez les pois, plongez-les 3 minutes dans de l'eau bouillante, égouttez-les et rafraîchissez-les dans un saladier d'eau glacée.

❖ Après 40 minutes de cuisson du chevreau, ajoutez les pois égouttés autour de la viande et laissez cuire encore 5 minutes.

❖ Éteignez le four et attendez 5 minutes avant de servir.

Les pois gourmands ont des cosses très plates et une belle couleur verte. Tout se mange dans ce légume. Ils s'accommodent très bien du cumin et de la cannelle. Il faut les consommer avant le mois d'avril, comme le chevreau.

Chevreau rôti au thym

❖ Préchauffez le four à 180 °C (th. 6).

❖ Passez un peu d'huile d'olive dans la lèchefrite du four. Parsemez de gros sel, d'un peu de thym et de poivre, et posez-y le chevreau.

❖ Pelez et essuyez les pommes de terre. Rangez-les autour de la viande avec les gousses d'ail non pelées. Saupoudrez du reste de thym, arrosez d'huile d'olive. Salez, poivrez. Versez le jus du citron.

❖ Attendez quelques minutes le temps que le four chauffe avant d'enfourner le chevreau. Après 30 minutes de cuisson, ajoutez les oignons entiers préalablement pelés, et laissez la cuisson se poursuivre encore 15 minutes.

Préparation : 15 min

Cuisson : 45 min

Pour 4 personnes
1/2 baron de chevreau
12 petites pommes de terre nouvelles
1 botte d'oignons nouveaux
6 gousses d'ail
1 citron
3 branches de thym
4 cuillerées à soupe d'huile d'olive
1 cuillerée à café de gros sel gris
sel, poivre

À savourer avec un chinon pour ses tanins.

Le chevreau se vend chez les volaillers de janvier à mai. À la Renaissance, Ambroise Paré insistait déjà sur l'importance de sa qualité.

Fricassée de chevreau à la romaine

Préparation : 20 min

Cuisson : 40 min

Pour 4 personnes

1 kg de chevreau, coupé en morceaux
2 salades romaines
1 botte d'oignons nouveaux
1 oignon
2 œufs
1 citron
1 petit bouquet d'aneth
3 cuillerées à soupe d'huile d'olive
sel, poivre

À savourer avec un vin rouge de Daphnès.

❖ Lavez et épongez les salades. Coupez-les en lanières comme des tagliatelles. Pelez, émincez finement l'oignon. Lavez, épongez et hachez l'aneth. Nettoyez les oignons nouveaux en gardant les tiges vertes, coupez-les en deux.

❖ Faites chauffer l'huile d'olive dans un faitout et faites-y revenir le chevreau. Ajoutez l'oignon émincé. Laissez quelques secondes. Ajoutez les petits oignons, l'aneth haché et la salade. Salez, poivrez. Versez de l'eau à mi-hauteur et laissez cuire doucement de 30 à 40 minutes.

❖ Enlevez le chevreau et les légumes avec une écumoire, réservez au chaud dans le plat de service.

❖ Préparez la sauce avgolemono : battez les œufs avec le jus du citron. Goutte à goutte, ajoutez le jus de cuisson du chevreau en fouettant. Quand la préparation est chaude, versez-la sur le chevreau.

La viande du chevreau est très parfumée. Vous pouvez acheter le foie et le cuisiner à la vénitienne, poêlé en morceaux avec des oignons émincés. Et pourquoi ne pas essayer avec des épinards pour avoir une note plus crétoise ?

Cochon de lait à la sauge

❖ Préchauffez le four à 180 °C (th. 6).

❖ Pelez, émincez les oignons. Lavez les tomates, coupez-les en deux.

❖ Huilez la lèchefrite du four. Faites un lit avec les oignons, la sauge et l'ail non pelé. Posez la viande dessus, salez, poivrez. Faites cuire 30 minutes au four.

❖ Après 30 minutes de cuisson, ajoutez les tomates salées et poivrées autour du rôti, et laissez la cuisson se poursuivre 30 minutes supplémentaires.

Préparation : 15 min

Cuisson : 1 h

Pour 6 personnes
1/2 baron de cochon de lait
6 oignons
6 gousses d'ail
6 tomates
3 feuilles de sauge
4 cuillerées à soupe d'huile d'olive
sel, poivre

À savourer avec un côtes-du-rhône rouge.

À Sparte, les repas étaient pris en commun. L'homme étant voué à l'État, il était sous surveillance constante et soumis à deux mets obligatoires : le brouet noir, mélange de graisse de porc et de sang, et le rôti de cochon.

Émincé de porc aux poireaux

Préparation : 25 min

Cuisson : 30 min

Pour 6 à 8 personnes
1 kg d'échine de porc coupée en petits morceaux (poids désossé)
2 kg de poireaux
1 oignon
3 feuilles de sauge
2 cuillerées à soupe d'huile d'olive
1 pointe de noix muscade
sel, poivre

À savourer avec un corton.

❖ Coupez une partie du vert des poireaux. Fendez-les, passez-les sous l'eau froide en veillant à bien enlever la terre logée entre les feuilles, égouttez-les. Coupez-les en rondelles fines. Pelez et émincez l'oignon. Rincez la sauge.

❖ Faites chauffer 1 cuillerée à soupe d'huile d'olive dans une cocotte en fonte et faites-y dorer l'oignon. Ajoutez les poireaux, la noix muscade, salez, poivrez.

❖ Laissez cuire à feu doux 5 minutes, à découvert. Versez la seconde cuillerée à soupe d'huile d'olive, ajoutez les morceaux de porc et la sauge.

❖ Couvrez et laissez confire doucement une vingtaine de minutes. Découvrez à mi-cuisson pour éviter un excédent de jus.

Selon Claude Galien, le célèbre médecin romain, le poireau entre dans la catégorie des aliments « atténuants », tandis que le porc fait partie des aliments « incrassants », c'est-à-dire hypercaloriques. En somme, une recette équilibrée !

Sauté de porc au sésame et pilaf de boulghour

Préparation : 20 min

Macération : 1 h

Cuisson : 45 min

Pour 6 à 8 personnes

1 kg d'échine de porc coupée en petits morceaux (poids désossé)
500 g de tomates
1 oignon
6 gousses d'ail
6 clous de girofle
1 cuillerée à café de cannelle
1 cuillerée à café de graines de moutarde et de sésame
2 cuillerées à café de coriandre en poudre
2 cuillerées à soupe d'huile d'olive
1 cuillerée à soupe de vinaigre
sel, poivre

❖ Mettez la viande dans une jatte avec le vinaigre, l'ail écrasé non épluché, toutes les épices, du sel et du poivre. Laissez macérer 1 heure au frais.

❖ Plongez toutes les tomates quelques secondes dans de l'eau bouillante, égouttez-les dans une passoire, pelez-les et coupez-les en dés.

❖ Pelez et râpez les 2 oignons.

❖ Faites chauffer 1 cuillerée à soupe d'huile d'olive dans une cocotte, mettez la viande à dorer, égouttez-la dans une passoire, réservez.

❖ Faites chauffer la seconde cuillerée d'huile d'olive et faites-y blondir la moitié des oignons. Ajoutez la moitié des tomates, salez, poivrez et laissez sécher quelques secondes sur feu vif.

❖ Remettez les morceaux de viande dans la cocotte, couvrez et laissez mijoter 30 minutes.

Sauté de porc au sésame et pilaf de boulghour (suite)

Pour le pilaf
350 g de boulghour
(gros grains)
500 g de tomates
12 fleurs de courgette
1 oignon
6 branches de persil
1 cuillerée à café
de menthe séchée
et 2 branches fraîches
10 cuillerées à soupe
d'huile d'olive
sel, poivre

À savourer avec un cahors.

❖ Pendant ce temps, préparez le pilaf : coupez grossièrement les fleurs de courgette. Lavez, épongez et hachez finement le persil et la menthe fraîche.

❖ Mettez l'huile d'olive à chauffer dans une sauteuse, versez le reste des tomates et des oignons. Remuez bien. Salez, poivrez, ajoutez le hachis d'herbes, et les fleurs de courgette.

❖ Versez le boulghour et le même volume d'eau dans la sauteuse. Salez, poivrez. Laissez cuire doucement 10 minutes en surveillant. Au besoin, rajoutez de l'eau, rectifiez l'assaisonnement et ajoutez la menthe séchée.

Pour agrémenter leurs festins, les Romains faisaient venir la moutarde d'Extrême-Orient. Considérée comme échauffante, elle était prescrite pour soigner les fièvres.

Porc aux betteraves

❖ Pelez et coupez l'oignon en dés. Nettoyez et coupez les branches de céleri en bâtonnets en gardant les feuilles tendres du cœur. Pelez et émincez les betteraves en rondelles moyennes.

❖ Dans une cocotte, faites revenir le porc avec 1 cuillerée à soupe d'huile d'olive chaude. Retirez la viande avec une écumoire et jetez le liquide rendu.

❖ Faites chauffer le reste de l'huile d'olive, faites-y blondir l'oignon quelques secondes, ajoutez le céleri, faites-le revenir également. Ajoutez les betteraves, le jus du citron, sel, poivre et cumin.

❖ Remettez le porc dans la cocotte, ajoutez de l'eau à mi-hauteur, couvrez et laissez cuire doucement 45 minutes.

Préparation : 20 min

Cuisson : 1 h

Pour 6 à 8 personnes

1 kg d'échine de porc, coupée en morceaux (poids désossé)
1 kg de betteraves crues
1/2 céleri
1 oignon
1/2 citron
3 cuillerées à soupe d'huile d'olive
1 cuillerée à café de cumin en poudre
sel, poivre

À savourer avec un tursan.

En 1575, Olivier de Serres définissait la betterave comme une racine rouge dont le jus rendait à la cuisson un sirop fruité. La betterave est cultivée en France depuis le XVIe siècle. Vous la trouverez crue de mai à décembre. Ne la dédaignez pas, car elle a beaucoup de goût.

Escalopes de veau aux pignons et tomates brûlées

Préparation : 2 h

Macération : 1 h

Cuisson : 30 min

Pour 6 personnes
6 escalopes de veau, fines et larges
2 échalotes
2 gousses d'ail
6 pincées de gruyère râpé
6 boulettes de mie de pain (de la valeur d'une noix)
25 cl de lait
50 g de pignons de pin
1 cuillerée à soupe d'huile d'olive
quelques branches de persil
noix muscade, sel, poivre

❖ Mettez les escalopes dans un plat creux, salez, poivrez, recouvrez de lait, ajoutez 1 pincée de noix muscade et laissez macérer 1 heure au frais.

❖ Mettez également la mie de pain à tremper dans un peu de lait tiède.

❖ Rincez le persil, pelez l'ail et enlevez le germe, pelez les échalotes, hachez le tout.

❖ Préchauffez le four à 210 °C (th. 7), en laissant les deux grilles à l'intérieur.

❖ Préparez la garniture : pelez l'ail et hachez-le avec le persil. Passez les tomates sous l'eau froide et coupez-les en deux.

❖ Rangez les tomates dans un plat à feu huilé, versez 1 goutte d'huile d'olive sur chaque demi-tomate, 1 pincée de sel et de sucre, donnez 1 tour de moulin à poivre, ajoutez un peu du hachis de persil et d'ail.

❖ Confectionnez une farce avec les échalotes, l'ail et le persil hachés, le gruyère, la mie de pain égouttée et les pignons de pin.

❖ Essuyez les escalopes, tartinez chacune d'elles d'un peu de farce.

❖ Enduisez un plat allant au four d'huile d'olive, rangez-y les escalopes.

❖ Mettez les deux plats au four en plaçant les tomates en haut, et laissez cuire 30 minutes.

Pour la garniture
6 grosses tomates
1 gousse d'ail
1 cuillerée à soupe d'huile d'olive
quelques branches de persil
sucre, sel, poivre

À savourer avec un chinon rouge.

Vous pouvez préparer un grand plat de tomates.
Même le lendemain elles seront bonnes, confites dans le sucre.
Il vous suffira de casser des œufs dessus
et de les passer sous le gril.

Fettucines au pecorino

Préparation : 10 min

Cuisson : celle des pâtes

Pour 6 personnes
500 g de fettucines aux œufs
300 g de pecorino au poivre
3 cuillerées à soupe d'huile d'olive
2 yaourts
12 noix
1 cuillerée à soupe d'origan
1 cuillerée à café de gros sel gris
quelques gouttes de vinaigre balsamique

À savourer avec un beaujolais-villages.

❖ Mettez une grande marmite d'eau additionnée de quelques gouttes d'huile d'olive sur le feu. Dès l'ébullition, jetez-y les pâtes, salez au gros sel. Laissez cuire à petits bouillons selon le temps indiqué sur le paquet.

❖ Cassez les noix.

❖ Coupez le fromage en lamelles, mettez-le dans une casserole à fond épais avec les yaourts, l'huile d'olive et l'origan. Faites chauffer à feu doux ou sur un diffuseur de chaleur. Mélangez bien pour homogénéiser la sauce. Laissez fondre doucement 1 minute.

❖ Égouttez les pâtes, versez la sauce dessus et ajoutez quelques gouttes de vinaigre. Décorez de noix.

Le pecorino est un fromage de brebis sicilien, avec ou sans poivre. Associé aux noix, il permet de réaliser un plat complet et rapide.

Fettucines de l'impatiente

❖ Faites bouillir une grande casserole d'eau bouillante additionnée de quelques gouttes d'huile d'olive. Plongez-y les pâtes, ajoutez du gros sel et laissez cuire selon le temps indiqué sur le paquet à partir de la reprise de l'ébullition.

❖ Pendant la cuisson des pâtes, rincez, essuyez et coupez les tomates en quartiers. Coupez le basilic grossièrement.

❖ Lorsque les pâtes sont *al dente*, égouttez-les puis répartissez-les dans les assiettes. Assaisonnez de 1 cuillerée à soupe d'huile d'olive.

❖ Rangez les quartiers de tomate et le basilic sur les pâtes, versez la seconde cuillerée à soupe d'huile et le vinaigre, salez, poivrez.

Préparation : 10 min

Cuisson : celle des pâtes

Pour 2 personnes
125 g de fettucines aux œufs
3 tomates en grappe
6 feuilles de basilic
2 cuillerées à soupe d'huile d'olive
1 cuillerée à soupe de vinaigre balsamique
sel, poivre

À savourer avec un collioure rouge pour sa tendresse.

Vous disposez de peu de temps pour cuisiner. Laissez alors votre imagination vagabonder : saumon fumé, tuiles de parmesan peuvent faire de cet en-cas un vrai repas.
En 1819, le docteur Étienne Brunaud écrit De l'hygiène des gens de lettres. *Selon lui, les intellectuels ont un estomac fragile. Il leur conseille des aliments particuliers, parmi lesquels les pâtes.*

Pastitsio

Préparation : 30 min

Cuisson : 50 min

Pour 6 à 8 personnes
500 g de macaronis
500 g de bifteck haché
6 tomates moyennes
1 oignon moyen
2 cuillerées à soupe d'huile d'olive
100 g de parmesan ou pecorino râpé
4 blancs d'œufs
1 noix de beurre
1 feuille de laurier
5 branches de persil
5 clous de girofle
1 bâton de cannelle
sel, poivre du moulin

❖ Ébouillantez, égouttez, pelez les tomates et enlevez les pépins, concassez-les. Pelez l'oignon, émincez-le.

❖ Faites chauffer l'huile d'olive dans une marmite, faites-y dorer la viande en l'écrasant avec une fourchette.

❖ Ajoutez les tomates concassées, la cannelle, le laurier, les branches de persil et les clous de girofle. Laissez cuire doucement 20 minutes.

❖ Préchauffez le four à 180 °C (th. 6).

❖ Pendant ce temps, jetez les macaronis dans une grande marmite d'eau bouillante salée. Laissez-les cuire la moitié du temps indiqué sur le paquet.

❖ Égouttez-les, versez-les dans la marmite, ajoutez les blancs d'œufs. Retirez les pâtes du feu.

❖ Beurrez un plat allant au four.

❖ Rangez par couches successives les pâtes, le fromage et la viande après avoir retiré le bâton de cannelle, le laurier, le persil et les clous de girofle.

❖ Préparez une béchamel assez épaisse avec l'huile d'olive, la farine et le lait. Salez, poivrez, ajoutez de la noix muscade.

❖ Hors du feu, ajoutez les jaunes d'œufs à la béchamel. Versez le tout sur les pâtes à la viande et au fromage.

❖ Mettez au four et laissez cuire 30 minutes.

Pour la béchamel
3 cuillerées à soupe d'huile d'olive
30 g de farine
50 cl de lait
4 jaunes d'œufs
sel, poivre, noix muscade

À savourer avec un saint-joseph.

Au XVIIIe siècle, une coutume vénitienne impose aux hommes de lettres de se réunir afin de composer des vers dans un langage approximatif. Les académiciens latinisent des mots modernes et les mêlent à la langue ecclésiastique. Ainsi célèbre-t-on régulièrement la souplesse d'une nouille, la saveur d'un gratin en poésie dite « macaronique » !

Spaghettis aux calmars

Préparation : 30 min

Cuisson : 30 min

Pour 6 personnes
1 kg de calmars frais, pas trop gros
500 g de spaghettis
1 poivron
2 tomates
1 oignon
2 gousses d'ail
1 petite boîte de concentré de tomates
3 clous de girofle
1 piment concassé
2 cuillerées à soupe d'huile d'olive
quelques tiges d'estragon
1 petit bouquet de persil
1/2 feuille de laurier
sel, poivre

❖ Coupez les tentacules des calmars au ras des yeux. Ouvrez les calmars avec des ciseaux, enlevez l'intérieur puis lavez les corps, coupez-les en lanières. Faites de même pour les tentacules, salez, poivrez.

❖ Faites frire le tout dans 1 cuillerée à soupe d'huile d'olive chaude et jetez dans une passoire.

❖ Pelez et hachez l'oignon. Coupez les tomates en deux, pressez-les pour ôter les pépins et l'eau de végétation.

❖ Hachez le poivron lavé et épépiné ainsi que le persil. Pelez l'ail.

❖ Dans 1 cuillerée à soupe d'huile d'olive chaude, faites revenir l'oignon et le poivron hachés.

❖ Ajoutez les tomates, salez, poivrez, laissez réduire 5 minutes.

❖ Versez le concentré de tomates, l'ail écrasé, les calmars égouttés, les clous de girofle, le piment, le laurier, le persil. Laissez cuire doucement 20 minutes.

❖ Hors du feu, parsemez de feuilles d'estragon.

❖ Peu avant la fin de la cuisson des calmars, faites cuire les spaghettis dans un grand volume d'eau salée additionnée de quelques gouttes d'huile d'olive. Respectez le temps de cuisson indiqué sur le paquet.

❖ Une fois que les pâtes sont cuites *al dente*, égouttez-les. Versez-les dans le plat de service, recouvrez avec la sauce aux calmars.

À savourer avec un vin rouge de Toscane.

On affirmait à Rome que l'estragon était stomachique. Cette herbe, très parfumée, doit être utilisée avec modération. Quelques feuilles suffisent pour parfumer un plat.

Spaghettis de la distraite

Préparation : 15 min

Cuisson : celle des pâtes

Pour 6 personnes
500 g de spaghettis
250 g de thon au naturel
500 g de tomates bien mûres
2 œufs
1 gousse d'ail
1 cuillerée à soupe de câpres
12 feuilles de basilic
1 cuillerée à soupe d'huile d'olive
parmesan râpé
quelques gouttes de tabasco
1 cuillerée à café de gros sel
sel, poivre

À savourer avec un gaillac pour sa ténacité.

❖ Mettez un grand volume d'eau à bouillir avec quelques gouttes d'huile d'olive. Jetez les spaghettis, attendez la reprise de l'ébullition, ajoutez du gros sel et laissez cuire à petits bouillons jusqu'à ce que les pâtes soient *al dente*.

❖ Pendant ce temps, ébouillantez, pelez les tomates, coupez-les en deux et pressez-les pour en extraire les pépins. Concassez-les grossièrement à la spatule. Écrasez l'ail pelé du plat de la lame d'un couteau.

❖ Faites chauffer 1 cuillerée à soupe d'huile d'olive dans une casserole, versez-y les tomates et l'ail. Salez, poivrez, laissez réduire 5 minutes. Égouttez et écrasez le thon grossièrement, ajoutez-le, ainsi que quelques gouttes de tabasco. Laissez la cuisson se poursuivre quelques secondes.

❖ Hors du feu, ajoutez les œufs battus en omelette et les feuilles de basilic hachées. Versez aussitôt sur les pâtes égouttées. Garnissez de câpres. Servez avec du parmesan frais et doux.

Le câprier est un arbuste des pays chauds qui donne ses baies en juin. Celles-ci sont séchées au soleil puis conservées dans des bocaux remplis de vinaigre.

Tagliatelles aux gambas

Préparation : 5 min

Cuisson : celle des pâtes

Pour 4 personnes
250 g de tagliatelles aux œufs
24 petites gambas crues
3 cuillerées à soupe d'huile d'olive
1 cuillerée à soupe de vinaigre balsamique de Modène
quelques branches de basilic frais
gros sel gris, poivre

❖ Décortiquez et arrosez les gambas de quelques gouttes d'huile d'olive. Poivrez.

❖ Faites cuire les pâtes dans un grand volume d'eau salée avec un filet d'huile d'olive.

❖ Deux minutes avant la fin de la cuisson, faites cuire les gambas à feu vif dans une poêle chaude, 1 minute de chaque côté. Salez.

❖ Égouttez les pâtes, arrosez-les avec le reste de l'huile et le vinaigre de Modène, répartissez-les dans les assiettes. Posez les gambas dessus, décorez avec les feuilles de basilic déchirées du bout des doigts.

À savourer avec un bandol rosé.

Le vinaigre balsamique Tradizionale *de Modène est le plus réputé. Issu d'un moût de raisin blanc, il est filtré, chauffé et décanté plusieurs mois. Au fur et à mesure de son vieillissement, il s'évapore et est transvasé de fût en fût, ce qui explique sa cherté. À employer avec modération.*

Tagliatelles aux moules

Préparation : 30 min

Cuisson : 15 à 20 min

Pour 6 personnes
500 g de tagliatelles
2 litres de moules
3 tomates
2 échalotes
2 gousses d'ail
3 cuillerées à soupe d'huile d'olive
quelques branches de persil
1 cuillerée à café de gros sel
sel, poivre

À savourer avec un bergerac rouge pour sa légèreté.

❖ Pelez les échalotes, hachez-les. Nettoyez les coquillages. Jetez-les dans une poêle chaude avec 2 cuillerées à soupe d'huile d'olive, les échalotes et 2 branches de persil. Dès que les moules sont ouvertes, retirez-les avec une écumoire. Filtrez le jus à travers une passoire tapissée d'une gaze et réservez-le. Débarrassez les moules de leurs coquilles.

❖ Faites chauffer un grand volume d'eau additionnée de quelques gouttes d'huile d'olive. Jetez-y les pâtes dès l'ébullition, ajoutez du gros sel, couvrez, laissez reprendre l'ébullition. Quand les pâtes sont *al dente*, égouttez-les rapidement et versez dessus quelques gouttes d'huile d'olive.

❖ Pendant ce temps, pelez l'ail, retirez le germe et écrasez les gousses. Lavez, épépinez et coupez les tomates. Faites chauffer la troisième cuillerée d'huile d'olive, ajoutez l'ail, les tomates, le reste du persil coupé aux ciseaux, le jus des moules. Salez, poivrez. Laissez réduire 5 minutes. Hors du feu, ajoutez les moules aux tomates, mélangez et versez sur les tagliatelles.

Plus la cuisson des pâtes est courte, plus l'index glycémique est bas.

Sorbet à l'ananas

❖ Préparez un sirop avec le sucre et 33 cl d'eau. Laissez réduire de moitié. Le sirop doit épaissir sans caraméliser. Laissez refroidir.

❖ Coupez l'ananas en deux dans le sens de la hauteur, en laissant le plumet et la base. Enlevez la partie centrale dure. Glissez la lame d'un couteau autour de l'écorce, puis détachez la chair délicatement au-dessus d'un récipient, en prenant garde de laisser les « yeux » sur l'écorce et de ne pas la percer.

❖ Découpez la chair de l'ananas en morceaux, passez-la au mixeur avec le jus des citrons. Ajoutez le sirop refroidi. Versez dans les écorces et mettez celles-ci au congélateur.

❖ Le jour même, sortez le sorbet du congélateur, battez-le bien pour briser les cristaux. Remettez au congélateur jusqu'au moment de servir.

Préparation : 25 min la veille + 5 min le jour même

Congélation : 12 h

Cuisson : sans

Pour 8 personnes
1 gros ananas
500 g de sucre
2 citrons

C'est sous Louis XIV que l'ananas a été acclimaté en France. On commence par le cultiver dans les serres du roi. À cette époque, les sorbets sont servis uniquement en été, jusqu'au jour où un certain Dubuisson se met à en fabriquer toute l'année avec succès.

Compote de figues et cocos de l'économe

Préparation : 30 min

Cuisson : 25 min

Pour 6 personnes
30 figues mûres
50 cl de vin rouge tannique
6 cuillerées à café de sucre roux
6 pincées de cannelle
1 noix de beurre

Pour les cocos
4 blancs d'œufs
250 g de noix de coco râpée

❖ Préchauffez le four à 200 °C (th. 6-7).

❖ Pelez et rangez les figues dans un plat beurré allant au four. Saupoudrez de sucre et de cannelle, versez le vin. Mettez au four et laissez cuire 15 minutes.

❖ Préparez les cocos : dans une casserole à fond épais, versez les blancs d'œufs et le sucre. Chauffez doucement en fouettant bien l'ensemble jusqu'à obtenir une consistance épaisse. Hors du feu, ajoutez la noix de coco. Confectionnez des boules avec les doigts et posez-les sur une plaque à pâtisserie garnie de papier sulfurisé.

❖ Sortez les figues du four. Enfournez les cocos et laissez-les 10 minutes en les surveillant. Retirez aussitôt de la plaque. Les boules doivent être dorées mais rester souples sous le doigt.

❖ Présentez la compote tiède accompagnée des cocos froids.

Les cocos accompagnent délicieusement la compote de figues mais ne sont pas obligatoires. Ils permettent d'utiliser les blancs d'œufs qu'on jette trop souvent faute de recette.

Figues pochées de Martine

Préparation : 25 min

Macération : 24 h

Cuisson : 15 min

Pour 6 personnes
30 figues mûres
75 cl de samos
6 cuillerées à soupe de sucre roux
1 bâton de cannelle
6 clous de girofle
1 noix de beurre

❖ La veille, lavez et essuyez les figues, piquez-les de quelques trous avec une aiguille et mettez-les à macérer 24 heures dans le vin avec la cannelle et les clous de girofle.

❖ Le jour même, égouttez les figues dans une passoire pour éliminer les épices.

❖ Faites fondre le beurre dans une poêle, mettez-y les figues à dorer de toutes parts avec le sucre. Rangez-les ensuite dans un plat de service.

❖ Versez le samos dans la poêle, faites réduire de moitié et versez sur les figues. Servez frais.

Le samos est un vin cuit qui ressemble au porto et entre habituellement dans ce dessert. Ne vous privez pas de cette recette, c'est celle d'un cordon-bleu.

Figues sèches à la cannelle et au vin

Préparation : 15 min

Macération : 12 h

Cuisson : 10 min

Pour 4 personnes
250 g de figues sèches
30 cl de vin rouge
50 g de sucre
3 clous de girofle
1 orange non traitée
1 bâton de cannelle

❖ La veille, rincez les figues et faites-les macérer dans le vin rouge avec le sucre et les clous de girofle.

❖ Le jour même, lavez l'orange et pelez-la en un long ruban pour garder la peau entière.

❖ Transvasez les figues dans une casserole, ajoutez la cannelle et la peau de l'orange. Laissez cuire doucement 10 minutes jusqu'à l'obtention d'un jus sirupeux.

❖ Rangez les figues dans un joli plat rond autour de la peau de l'orange enroulée sur elle-même pour reconstituer le fruit. Arrosez du sirop, laissez refroidir et mettez au frais jusqu'au moment de servir.

Début juillet, les Grecs préparent un sirop pour leurs invités avec des figues vertes : c'est le glyka tori koutaliou.

Chaud-froid de figues

❖ Ouvrez les figues en croix. Faites-les revenir dans le beurre et le sucre à feu doux jusqu'à ce qu'elles soient caramélisées.

❖ Versez le vin et la cannelle. Donnez un bouillon en grattant bien le fond de la poêle.

❖ Servez tiède avec la boule de glace à la vanille et décorez avec la feuille de menthe fraîche.

Préparation et cuisson :
5 min

Pour 1 personne
3 figues
1 cuillerée à café rase de cannelle
3 cuillerées à café de sucre roux
1 cuillerée à soupe de samos (ou de porto)
1 boule de glace à la vanille
1 noix de beurre
1 feuille de menthe

La consommation de sucre est devenue régulière à partir du XVIIIe siècle ; les sirops étaient alors recommandés pour soulager certains troubles.

Gratin de figues aux pignons

Préparation : 5 min

Cuisson : 10 min

Pour 6 personnes
24 figues bien mûres
1 citron
100 g de pignons de pin
6 cuillerées à soupe
de sucre roux
1 noix de beurre

❖ Préchauffez le four à 180 °C (th. 6), en laissant une grille en haut.

❖ Lavez et essuyez les figues. Incisez-les en croix et rangez-les dans un plat beurré. Glissez les pignons à l'intérieur des fruits, arrosez avec le jus du citron et saupoudrez de sucre.

❖ Mettez le plat au four et laissez cuire 10 minutes.

❖ Si vous préférez utiliser le gril pour plus de rapidité, ne quittez pas la cuisine, les pignons brûleraient ! Servez aussitôt.

Les athlètes romains se nourrissaient déjà de figues sèches. Consommées avec du fromage et des noix, elles permettaient aux sportifs de soutenir leur effort durant l'entraînement.

Baklava et granité au citron

Préparation : 45 min

Congélation : 12 heures

Cuisson : 20 min
la veille + 1 h
le jour même

Pour 12 personnes
1 paquet de feuilles de philo
150 g de beurre
1 cuillerée à café de cannelle
150 g d'amandes hachées
150 g de pistaches hachées
150 g de noix concassées

Pour le sirop
350 g de sucre
3 cuillerées à soupe de miel
1 cuillerée à soupe de jus de citron
1 cuillerée à soupe d'eau de fleur d'oranger

Pour le granité
6 citrons
400 g de sucre

❖ La veille, préparez le granité : dans une casserole à fond épais, versez 40 cl d'eau et le sucre. Portez doucement à ébullition, puis faites réduire ce sirop à feu vif, jusqu'à ce qu'il ait une consistance épaisse mais non caramélisée. Laissez refroidir.

❖ Pressez les citrons, mélangez leur jus au sirop froid. Versez dans un bac à glaçons métallique et laissez 12 heures au congélateur.

❖ Le jour même, préparez le sirop pour le baklava : dans une casserole à fond épais, versez tous les ingrédients prévus avec 40 cl d'eau. Portez doucement à ébullition, puis faites réduire jusqu'au stade du filet : un fil se forme quand on fait couler un peu de sirop avec une petite cuillère. Laissez tiédir puis mettez au froid.

❖ Préchauffez le four à 140 °C (th. 4-5).

❖ Préparez le baklava : faites fondre le beurre, puis versez-le dans un bol en éliminant la mousse blanche et les impuretés. Mélangez les fruits et la cannelle.

❖ Beurrez la lèchefrite du four ou un plat de la grandeur des feuilles de philo.

Baklava et granité au citron (suite)

❖ Posez à plat 1 feuille de philo dans la lèchefrite, beurrez-la avec un pinceau. Superposez 5 feuilles en les beurrant au fur et à mesure. Étalez les fruits dessus. Recommencez à superposer les feuilles de philo en les beurrant. Beurrez également la dernière feuille.

❖ Avec un couteau, faites des incisions en losanges en quadrillant la pâte, passez un doigt pour approfondir les incisions, sans aller jusqu'à la farce. Plongez votre main dans un peu d'eau et aspergez la pâte pour l'humecter. Mettez au four et laissez cuire 1 heure.

❖ Lorsque le baklava est cuit et doré, sortez-le du four et arrosez-le avec le sirop froid pendant qu'il est encore chaud.

❖ Au moment de servir, cassez le granité avec un couteau pour faire des paillettes. Répartissez-les dans des verres.

Les feuilles de philo s'achètent dans les épiceries grecques ou dans les magasins de produits orientaux. Elles permettent d'obtenir un feuilleté craquant qui n'est pas gras.

Galette à la cannelle et aux fruits secs

❖ Préchauffez le four à 180 °C (th. 6).

❖ Beurrez un petit plat ovale allant au four. Rangez-y les fruits coupés en deux. Comblez les trous avec les raisins.

❖ Battez les œufs avec le sucre. Ajoutez la cannelle et le yaourt. Quand la pâte est bien homogénéisée, versez sur les fruits.

❖ Recouvrez le plat de papier aluminium ménager. Mettez au four et laissez cuire 30 minutes.

❖ Vérifiez la cuisson avec la pointe d'un couteau : elle doit ressortir sèche. Laissez tiédir sous la feuille de papier aluminium.

Préparation : 10 min

Cuisson : 30 min

Pour 4 personnes
125 g de figues et d'abricots secs moelleux
1 poignée de raisins secs mélangés (de Smyrne et de Syrie)
4 gros œufs
1 yaourt
1 cuillerée à café de cannelle
50 g de sucre

L'acidité des abricots donne du relief à ce dessert. L'abricotier est d'origine chinoise mais il a été implanté par les Arméniens, d'où son nom latin Prunus armeniaca. *Si vous trouvez que vos fruits sont trop secs, couvrez-les d'un peu d'eau (ou de porto, ou de samos) tiédie et attendez 1 heure. Ils retrouveront leur souplesse.*

Clafoutis au melon

Préparation : 15 min

Dégorgeage du melon : 24 h

Cuisson : 30 min

Pour 6 personnes
1 melon de 1 kg
4 œufs
100 g de farine
125 g de sucre et
3 cuillerées à soupe
25 cl de lait
1 cuillerée à café
de cannelle
1 pincée de sel

❖ La veille, coupez la chair du melon en morceaux, saupoudrez-la de 3 cuillerées à soupe de sucre et laissez dégorger toute la nuit au frais.

❖ Le jour même, préchauffez le four à 200 °C (th. 6-7).

❖ Beurrez un plat rond allant au four, égouttez le melon. Battez les œufs avec le sucre. Versez la farine, mélangez doucement avec une spatule en bois. Ajoutez le lait peu à peu et le sel.

❖ Disposez les dés de melon égouttés dans le plat. Saupoudrez de cannelle. Versez la pâte dessus.

❖ Mettez au four et laissez cuire 30 minutes.

Au XVIe siècle, Luigi Cornaro supprime le melon de ses repas. Ce noble Vénitien, condamné par ses médecins, élimine tous les mets froids de son alimentation et publie son régime. Pour donner plus de force à ses écrits, il se vieillit volontairement. C'est ainsi que s'est perpétuée l'erreur de sa mort légendaire à 98 ans. En fait, Cornaro est mort à Padoue en 1566, à l'âge de 82 ans !

Gâteau moelleux aux noix

❖ Préchauffez le four à 125 °C (th. 4).

❖ Lavez le citron, essuyez-le, râpez le zeste, réservez-le. Pressez le fruit. Mélangez le beurre mou et le sucre 1 à 2 minutes. Ajoutez les jaunes d'œufs, remuez bien. Mélangez la farine, la levure et le sel, versez dans la préparation. Ajoutez les noix et le jus du citron.

❖ Montez les 5 blancs d'œufs en neige ferme. Ajoutez-les à la pâte en les amalgamant délicatement avec une cuillère en bois. Versez dans un moule à cake en porcelaine beurré. Faites cuire 45 minutes au four.

❖ Pendant ce temps, préparez le sirop avec 25 cl d'eau, le sucre et la cannelle. Laissez épaissir une dizaine de minutes. Ajoutez le zeste du citron. Laissez refroidir.

❖ Quand le gâteau est cuit, arrosez-le avec le sirop froid.

Préparation : 20 min

Cuisson : 45 min

Pour 8 à 10 personnes
200 g de farine
1 sachet de levure chimique
125 g de beurre à température ambiante
100 g de sucre
5 œufs à température ambiante, jaunes et blancs séparés
250 g de noix concassées
1 citron non traité
1 pincée de sel

Pour le sirop
200 g de sucre
1 cuillerée à café rase de cannelle

Au Moyen Âge, on faisait de la confiture avec des noix fraîches. Il fallait les cueillir avant la Saint-Jean, les peler, les percer, les mettre à tremper puis les sécher, combler les trous de morceaux de gingembre et clous de girofle, enfin les faire bouillir avec du miel.

Yaourt miellé aux noix

Préparation : 5 min

Cuisson : sans

Pour 2 personnes
1 yaourt de lait
de brebis de 200 g
4 noix
1 cuillerée à soupe
de miel

❖ Versez le yaourt dans une jatte. Cassez les noix.

❖ Au moment de servir, versez le miel sur le yaourt. Garnissez de noix.

❖ En plein été, vous pouvez remplacer les noix par des fruits frais (abricots, fraises, raisin, etc.).

Pythagore de Samos est mort dans les années 490 avant l'ère chrétienne. Le célèbre mathématicien suivait un régime sobre à base de végétaux, laitages et miel. Selon lui, l'apprentissage de la musique, l'exercice de la gymnastique et la sobriété faisaient partie des principes philosophiques de la vie.

Cake à l'huile de noix et aux pignons

❖ Préchauffez le four à 125 °C (th. 4).

❖ Mélangez les œufs et le sucre. Quand le mélange blanchit, versez le yaourt et gardez le pot comme unité de mesure. Ajoutez ainsi 3/4 de pot d'huile de noix, mélangez bien. Versez le jus du citron et le sucre vanillé.

❖ Mesurez 1 pot et demi de farine, mélangez à la levure, ajoutez à la préparation. Quand le mélange est bien homogène, versez dans un moule à cake beurré.

❖ Parsemez les pignons sur la pâte, mettez au four et laissez cuire 40 minutes.

❖ Servez froid avec une compote.

Préparation : 15 min

Cuisson : 40 min

Pour 6 personnes
4 œufs
100 g de sucre
1 yaourt de 125 g
huile de noix
1 citron
1 sachet de sucre vanillé
farine
1 sachet de levure chimique
1 cuillerée à soupe de pignons de pin

C'est aussi simple que délicieux, surtout avec l'huile de noix qui se marie à merveille avec les pignons. Dans l'Antiquité, les pignons étaient considérés comme un médicament. Astringents, ils étaient prescrits pour purger la poitrine et les poumons.

Petits pains d'olive à l'anis et granité de pêche

Préparation : 30 min

Congélation : 12 h

Cuisson : sans

Pour 8 personnes
100 g de poudre d'amande
75 g de sucre
1 œuf et 1 jaune
125 g de farine
10 cl d'huile d'olive
1 petite cuillerée à café d'anis vert
1 pincée de sel

Pour le granité
4 grosses pêches blanches
1 citron
175 g de sucre

❖ La veille, préparez le granité : faites fondre le sucre dans une casserole avec 15 cl d'eau. Laissez réduire de moitié. Le sirop doit épaissir sans caraméliser. Laissez refroidir.

❖ Pelez les pêches, passez la chair au mixeur avec le jus du citron. Ajoutez le sirop froid. Mettez dans un bac à glaçons métallique et laissez 12 heures au congélateur.

❖ Le jour même, préparez les petits pains : préchauffez le four à 200 °C (th. 6-7). Beurrez et farinez une plaque à pâtisserie. Mélangez le sucre, le sel et l'œuf entier. Ajoutez la farine, l'huile d'olive et l'anis vert. Tournez avec une spatule en bois puis travaillez la pâte à la main. Formez une boule.

❖ Avec une cuillère à café, prélevez des noix de pâte, roulez-les comme des cigares. Posez-les sur la plaque. Faites une légère incision au milieu et dorez avec le jaune d'œuf battu. Mettez au four et laissez cuire 8 minutes.

❖ Décollez les petits pains au sortir du four. Servez froid avec des cristaux de granité.

Tarte au pamplemousse

❖ Préchauffez le four à 200 °C (th. 6-7)

❖ Mettez la farine, le beurre coupé en copeaux, le sucre, le sel et le jaune d'œuf dans un robot. Mixez jusqu'à l'obtention d'une pâte homogène.

❖ Beurrez un moule à tarte de 30 cm de diamètre, étendez la pâte au rouleau, garnissez-en le moule, piquez le fond et les côtés avec une fourchette. Mettez au four et laissez cuire de 10 à 15 minutes. Vérifiez la cuisson.

❖ Préparez la crème : versez le jus des pamplemousses et le sucre dans une terrine. Ajoutez la Maïzena, mélangez bien. Mettez sur feu doux, dans une casserole à fond épais, le temps que le mélange épaississe. Hors du feu, ajoutez les jaunes d'œufs un à un en mélangeant bien. Laissez tiédir.

❖ Quelques minutes avant la fin de la cuisson de la pâte, battez les 4 blancs d'œufs en neige avec le sel. Versez la crème au pamplemousse sur la pâte cuite. Posez les blancs dessus en égalisant leur surface avec une fourchette. Parsemez de sucre roux et passez quelques secondes sous le gril, le temps de dorer la meringue.

Préparation : 25 min

Cuisson : 30 à 35 min

Pour 6 personnes
200 g de farine
50 g de sucre
100 g de beurre
à température ambiante
1 jaune d'œuf
1 pincée de sel

Pour la crème
2 pamplemousses
3 jaunes d'œufs
à température ambiante
100 g de sucre
3 cuillerées à soupe
rases de Maïzena

Pour la meringue
4 blancs d'œufs
1 cuillerée à soupe
de sucre roux
1 pincée de sel

Pamplemousse grillé

Préparation : 10 min

Cuisson : 5 min

Pour 6 personnes
3 pamplemousses roses
6 cuillerées à café de miel

❖ Coupez les pamplemousses en deux, taillez légèrement la base pour leur donner l'assise souhaitée.

❖ Avec la lame d'un couteau, séparez la pulpe de la peau en incisant le tour du fruit ainsi que les quartiers.

❖ Rangez les fruits dans un plat allant au four. Sur chaque moitié, versez 1 cuillerée à café de miel.

❖ Allumez le gril. Glissez le plat dessous et faites griller 5 minutes. Servez brûlant.

Le miel a toujours été beaucoup utilisé dans toutes les cultures méditerranéennes. Il tenait le rôle aujourd'hui dévolu au sucre. Fut un temps où l'on s'en servait même pour masser les malades.

Pêches aux pistaches

❖ Préchauffez le four à 180 °C (th. 6).

❖ Pelez, coupez en deux et dénoyautez les pêches.

❖ Citronnez-les, garnissez-en le cœur de pistaches et arrosez-les de samos.

❖ Beurrez un plat, posez-y les fruits. Mettez au four et laissez cuire 15 minutes. Servez tiède.

Préparation : 10 min

Cuisson : 15 min

Pour 6 personnes
6 belles pêches jaunes
100 g de pistaches pelées
2 cuillerées à soupe de samos (ou de porto)
2 cuillerées à soupe de jus de citron

D'après le docteur Patin, célèbre au début du XVIIe siècle, les fruits humectent et rafraîchissent mais nourrissent peu. Il faudrait prendre en entrée les fruits juteux, en dessert ceux qui sont astringents. Les premiers ouvrent l'appétit, les seconds favorisent la digestion.

Flan de poires aux pistaches

Préparation : 15 min

Cuisson : 30 min

Pour 6 personnes
3 belles poires comices
50 g de pistaches pelées
1/2 citron
200 g de farine
1 sachet de levure chimique
100 g de sucre
2 gros œufs
10 cl de lait
75 g de beurre
1 pincée de sel

❖ Préchauffez le four à 175 °C (th. 5-6), en laissant une grille au milieu.

❖ Beurrez un plat en porcelaine rectangulaire. Pelez les poires et coupez-les directement en dés au-dessus du plat, arrosez-les du jus du demi-citron. Parsemez de pistaches.

❖ Dans une jatte, mélangez la farine et la levure. Ajoutez le sel, le sucre, le lait. Faites fondre le beurre sans le cuire, versez-le dans la pâte. Battez les œufs en omelette, ajoutez-les à la pâte en mélangeant bien pour qu'elle fasse comme un ruban. Versez régulièrement sur les fruits, égalisez la surface, essuyez les bords du moule.

❖ Mettez le plat au four et laissez cuire 30 minutes. Vérifiez la cuisson : la lame d'un couteau enfoncée au cœur du flan doit ressortir à peine sèche. Laissez refroidir et servez dans le plat de cuisson.

La doyenné-du-comice est une excellente poire d'automne et d'hiver. Dès la fin janvier, n'en achetez plus, même si l'aspect extérieur reste inchangé. Si vous voulez confectionner ce dessert en été, mélangez pêches et abricots. C'est d'autant plus délicieux que les pistaches donnent à ce gâteau un goût sympathique d'amande.

Poires tanniques

Préparation : 30 min

Cuisson : 20 min

Réfrigération : 15 min

Pour 6 personnes
6 belles poires williams
6 cuillerées à soupe rases de sucre roux
1 citron
1 étoile de badiane
12 clous de girofle
1 bâton de cannelle
1 orange non traitée
50 cl de vin rouge tannique
2 cuillerées à soupe de gelée de groseilles

❖ Lavez l'orange, essuyez-la et prélevez l'écorce en un long ruban.

❖ Pelez les poires en prenant soin de laisser les queues, citronnez et piquez chacune de 2 clous de girofle.

❖ Rangez les poires debout dans une casserole avec le vin, le sucre, la cannelle, la badiane et l'écorce d'orange. Laissez cuire doucement de 15 à 20 minutes selon la grosseur des fruits.

❖ Retirez délicatement les poires avec une écumoire (la queue ne doit pas se détacher).

❖ Faites réduire le jus de cuisson 5 minutes à feu vif. Liez avec la gelée de groseilles. Nappez-en les poires. Décorez avec l'écorce d'orange roulée sur elle-même comme pour reconstituer le fruit. Mettez 15 minutes au frais.

C'est le tanin qui donne au vin ses vertus thérapeutiques spécifiques. Il est surtout présent dans le vin rouge. Plus un vin est tannique, plus il a de la « mâche », du corps.

Pommes à la compotée de rhubarbe

Préparation : 20 min

Cuisson : 35 min

Pour 6 personnes
6 belles pommes rouges non traitées
1 kg de rhubarbe
20 g de beurre
6 cuillerées à soupe rase de sucre roux
6 pincées de cannelle
24 raisins secs
2 étoiles de badiane
6 cuillerées à café de miel d'acacia

❖ Préchauffez le four à 200 °C (th. 6-7).

❖ Effilez, coupez en tronçons les tiges de rhubarbe, plongez-les 5 minutes dans de l'eau bouillante, égouttez.

❖ Beurrez un joli plat allant au four, versez-y les morceaux de rhubarbe, glissez au milieu les étoiles de badiane. Saupoudrez de sucre.

❖ Lavez les pommes. Découpez un chapeau au sommet de chacune d'elles, évidez le cœur. Mettez à la place 4 raisins secs, 1 pincée de cannelle, 1 cuillerée à café de miel et 1 noisette de beurre. Recouvrez avec les chapeaux. Calez les pommes dans la rhubarbe.

❖ Mettez au four et laissez cuire 30 minutes. Laissez reposer 5 minutes dans le four éteint le temps que les pommes tiédissent.

Pour gagner du temps, vous pouvez utiliser de la rhubarbe surgelée, mais pensez à la décongeler dans une passoire et pressez les morceaux entre vos mains pour ôter l'excédent d'eau.

Pommes caramélisées aux noix

Préparation : 10 min

Cuisson : 5 min

Pour 6 personnes
6 pommes clochards
6 cuillerées à café de sucre roux
12 noix
1/2 citron
1 noix de beurre

❖ Pelez, coupez les pommes en tranches fines, arrosez du jus du citron.

❖ Cassez les noix, concassez grossièrement les cerneaux.

❖ Beurrez un plat allant au four, rangez les noix au fond, posez les pommes dessus. Saupoudrez de sucre.

❖ Glissez le plat 5 minutes sous le gril, en surveillant. Laissez reposer 5 minutes dans le four éteint le temps que les pommes tiédissent.

À Rome, les noix, marinées dans du vinaigre, étaient prescrites aux malades atteints de jaunisse. L'acidité les rend en effet plus digestes.

Compote caramélisée

Préparation : 20 min

Cuisson : 20 min

Pour 6 personnes
2 kg de pommes mélangées (clochard, reinettes, etc.)
1 cuillerée à café de cannelle en poudre
1 citron
100 g de sucre roux
1 poignée de raisins de Smyrne

❖ Coupez les pommes en quartiers, enlevez les pépins mais gardez les petites peaux intérieures qui forment une rosace. Pelez-les au couteau économe. Arrosez-les du jus du citron, saupoudrez de cannelle.

❖ Versez les pommes dans une marmite avec les raisins, couvrez et laissez cuire 10 minutes à feu doux.

❖ Ajoutez le sucre, découvrez et poursuivez la cuisson 10 minutes. Remuez souvent jusqu'à ce que la compote caramélise, sans écraser les pommes. Au besoin, augmentez le feu.

❖ Servez tiède.

Il est agréable de trouver les morceaux de pommes dans la préparation. C'est d'ailleurs plus conforme à la diététique. Plus elle est « compotée » et cuite, plus la pomme se transforme en sucre rapide, son index glycémique s'élève alors.

Tian de pommes à l'amande douce et au safran

❖ Préchauffez le four à 200 °C (th. 6-7).

❖ Beurrez un plat à clafoutis. Pressez le citron. Pelez et coupez les pommes en morceaux dans le plat. Saupoudrez d'une cuillerée à soupe de poudre d'amande. Versez le jus du citron.

❖ Battez les œufs avec le sucre quelques secondes. Ajoutez la fécule et le lait, remuez bien à la spatule. Versez la poudre d'amande et le beurre fondu, mélangez et versez sur les fruits. Parsemez de safran.

❖ Mettez au four et laissez cuire 30 minutes. Laissez reposer dans le four éteint. Servez tiède.

Préparation : 15 min

Cuisson : 30 min

Pour 6 personnes

5 pommes reinettes
75 g de beurre fondu
100 g de sucre
5 œufs
1 citron
25 cl de lait
75 g de poudre d'amande +
1 cuillerée à soupe
1 cuillerée à café de fécule de pomme de terre
5 pincées de filaments de safran

Au Moyen Âge, les amandes entraient dans la confection d'un potage pour les jours maigres. Il fallait les peler et les broyer, les mettre à tremper dans de l'eau tiède, les faire bouillir avec de la poudre d'épices et du safran, puis répartir la soupe dans des écuelles individuelles sur une demi-sole frite.

Riz d'Andrea

Préparation : 15 min

Cuisson : 25 min

Pour 8 personnes
200 g de riz long
1 litre de lait
1 orange
100 g de sucre
100 g de raisins secs
1 cuillerée à café de pistaches pelées
2 cuillerées à soupe de Maïzena
quelques gouttes d'eau de fleur d'oranger
1 gousse de vanille
1 cuillerée à café de cannelle
1 noix de beurre
1 pincée de sel

❖ Pressez l'orange, versez les raisins dans le jus obtenu.

❖ Faites bouillir 2 litres d'eau. Versez le riz et laissez bouillonner 5 minutes. Égouttez dans une passoire.

❖ Délayez la Maïzena dans 2 cuillerées à soupe de lait. Versez-la dans le lait froid. Remuez bien. Mettez le lait sur le feu avec le sel, le sucre, la gousse de vanille fendue en deux et l'eau de fleur d'oranger.

❖ Dès l'ébullition, versez le riz égoutté, les raisins et laissez cuire à feu doux 15 minutes. Hors du feu, glissez la noix de beurre dans le riz et remuez.

❖ Retirez la vanille. Mettez le riz dans 8 ramequins, saupoudrez de cannelle, mettez au centre quelques pistaches et laissez tiédir.

❖ Le riz doit avoir un aspect velouté mais la préparation doit rester liquide. Elle se solidifiera en refroidissant.

Claude Galien intégrait les pistaches dans son régime « atténuant ». Prescrit dans les cas de maladies chroniques, ce régime hypocalorique entraînait des faiblesses. Riches en calories, les pistaches permettaient de compenser.

Menus

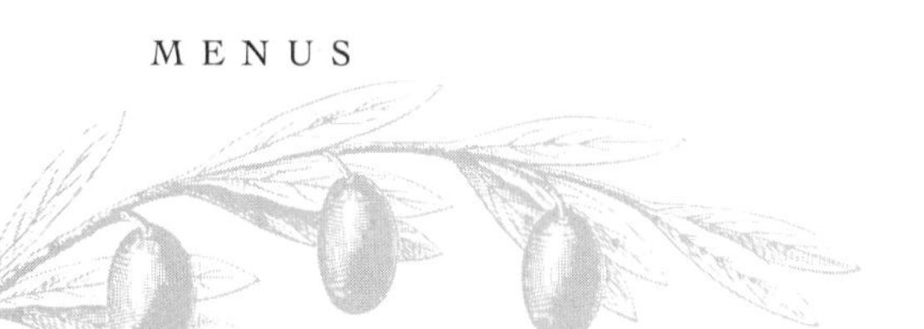

Le petit déjeuner

Les Crétois prennent leur petit déjeuner en deux temps. Vers 7 heures, ils boivent une tasse de thé ou de café, puis vers 9 heures 30, ils prennent une collation composée de fromage, tartine de pain avec huile d'olive, origan et tomates concassées ou tartine de crème de lait de chèvre, yaourt au lait de brebis et fruits.
Si vous souhaitez bénéficier des vertus du régime crétois, dès le début de la journée, choisissez bien votre petit déjeuner. Préférez :

- du pain complet ou pain de seigle, pain aux céréales ;
- ou bien des céréales complètes (flocons d'avoine ou muesli peu sucré si possible) ;
- un yaourt ou du fromage ;
- des fruits frais.

À vous de le composer à votre goût, sans oublier, pour les gourmands, du beurre, du miel ou de la confiture. Si vous avez des problèmes cardio-vasculaires ou trop de cholestérol et si vous êtes perfectionniste, vous remplacerez le beurre par de la margarine à présent bien adaptée à ces problèmes.

Menus de printemps

Courgettes farcies
Daurade à l'étouffée
Tian de pommes à l'amande douce
et au safran

Gambas au concombre
Poulet au citron persillé et pets de patate
Pamplemousse grillé

Pilaf de petits-gris
Langoustines aux poivrons rouges
Sorbet à l'ananas

Salade acidulée au haddock
Gigot d'agneau à la confiture d'aubergines
Petits pains d'olive à l'anis
et granité de pêche

Menus d'été

Aubergines à la cuillère
Loup grillé au fenouil
Clafoutis au melon

Purée de pois chiches
Saumon en robe d'aubergine
et coulis de tomates
Granité de pêches

Salade de pourpier à la menthe
Moussaka de sardines
Galette à la cannelle et aux fruits secs

Salade de pourpier aux jeunes fèves
Gigot d'agneau au jus d'épices
et aux poivrons
Baklava et granité au citron

Menus d'automne

Féta en aumônière de figue
Rougets aux herbes
et gratin d'aubergines
Pommes caramélisées aux noix

Délice aux noix
Pintade en croûte de thym
et cake de polenta
Poires tanniques

Salade de figues au chèvre
Cailles aux chou et baies de genièvre
Figues pochées de Martine

Tzatziki
Lapin des bois et gratin au pourpier
Tarte au pamplemousse

Menus d'hiver

Keftédès
Faisan bohémien et purée de céleri
Flan de poires aux pistaches

Boulghour à la coriandre et aux olives
Porée marine
Gâteau moelleux aux noix

Beignets de morue
Daurade en habit vert
et risotto d'épinards
Figues sèches à la cannelle et au vin

Soupe de poisson traditionnelle
Tian de pommes à l'amande douce
et au safran

Si vous souhaitez conclure le repas à la façon crétoise, proposez une tisane. Les Crétois boivent beaucoup d'infusions, notamment de camomille et sauge, qu'ils sucrent toujours avec du miel.

Menus légers

Duo de poivrons grillés
Saint-Jacques aux endives
et effluves d'oranges
Yaourt miellé aux noix

Épinards crus au pourpier
Espadon rôti et tian de légumes
Poires tanniques

Purée d'aubergines
Poulet des moines et sauce aux noix
Figues sèches à la cannelle et au vin

Salade d'aubergines au sésame
Daurade à l'étouffée
Compote de figues et cocos de l'économe

Menus équilibrés

Chiffonnade de salades aux noix
Poulet sauté aux gombos
Compote caramélisée

Salade à la ricotta
Porée marine
Clafoutis au melon

Salade de figues aux chèvre
Soupe de poissons traditionnelle
Baklava et gratiné au citron

Aubergines à la cuillère
Escalope de veau aux pignons
et tomates brûlées
Compote de figues et cocos de l'économe

Flans de morue
Gigot d'agneau à la confiture d'aubergines
Poires tanniques

Moules aux petits légumes safranés
Émincé de poulet aux pamplemousses
Petits pains d'olive et gratiné de pêche

Saint-Jacques en compotée de tomate
Émincé de porc aux poireaux
Sorbet à l'ananas

Tomates tièdes au chèvre
Moussaka de sardines
Cake à l'huile de noix et aux pignons

Tzatziki
Seiches poêlées au vin rosé
et pissenlits pochés
Tarte au pamplemousse

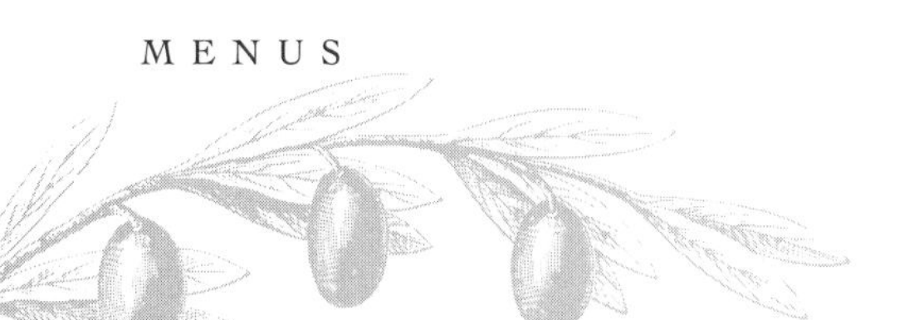

Menus équilibrés

Cœurs de laitue au thon
Porc aux betteraves
Tian de pommes à l'amande douce et au safran

Soupe de concombre à la menthe
Dinde farcie aux fruits secs
Pommes caramélisées aux noix

Terrine de betterave aux chèvre et aux noix
Cailles au chou et baies de genièvre
Pamplemousse grillé

Féta au aumônière de figue
Filets de loup aux artichauts
Pêches aux pistaches

Gambas aux concombres
Émincé de bœuf aux raisins
Figues pochées de Martine

Moules farcies
Spaghettis de la distraite
Pêches aux pistaches

Omelette aux pignons
Spaghettis aux calmars
Pommes à la compotée de rhubarbe

Keftédès
Fettucines de l'impatiente
Tian de pommes à l'amande douce
et au safran

Fleurs de courgettes farcies
Thon aux échalotes
Flan de poires aux pistaches

Salade de pourpier
aux jeunes fèves
Langoustines aux poivrons rouges
Gratin de figues aux pignons

Menus équilibrés

Dolmades
Loup grillé au fenouil
Clafoutis au melon

Purée de pois chiches
Gambas de Spyros
Chaud-froid de figues

Boulghour à la coriandre et aux olives
Magrets à l'orange en compotée de poivrons rouges
Pommes caramélisées aux noix

Salade de poulpe aux artichauts
Lapin doré aux courgettes
Riz d'Andrea

Terrine de tarama et blinis
Pageau en papillote et gratin de tomates
Galette caramélisée aux fruits secs

Index

COMPOSITION NUTRITIONNELLE DES RECETTES PROPOSÉES

Valeur pour une personne

RECETTE	PAGE	PROTÉINES	LIPIDES	GLUCIDES	ÉNERGIE (Kcal)
ENTRÉES					
• **Artichaut**					
Crottin de chèvre à l'artichaut	60	10	15	24	274
Salade de fonds d'artichaut au citron	61	4	20	18	271
Salade de poulpe aux artichauts	62	15	23	9	303
• **Aubergine**					
Aubergines à la cuillère	63	5	10	13	164
Aubergines grillées en salade	65	–	16	4	162
Mille-feuille d'aubergine au crabe	66	9	18	6	225
Purée d'aubergines	67	–	10	7	119
Salade d'aubergines au sésame	68	–	10	12	140
• **Bœuf**					
Keftédès	69	17	18	13	286
• **Boulghour**					
Boulghour à la coriandre et aux olives	71	4	5	45	245
Taboulé vert	72	2	5	40	216
• **Chou**					
Dolmades	73	6	19	56	419

RECETTE	PAGE	PROTÉINES	LIPIDES	GLUCIDES	ÉNERGIE (Kcal)
• **Épinard**					
Foie de volaille en habit vert d'épinards	88	13	12	2	170
Épinards crus au pourpier	89	2	6	2	71
• **Escargot**					
Escargots sautés aux noix	90	20	12	3	200
Omelette aux escargots	91	36	14	3	286
Pilaf de petits-gris	92	14	17	27	321
Salade de pissenlits aux escargots	94	27	10	8	233
• **Féta**					
Tiropita	95	–	–	–	–
• **Figue**					
Salade aux figues fraîches et jambon cru	96	8	15	12	218
Salade de figues au chèvre	97	2	10	7	127
Féta en aumônière de figue	98	2	6	8	95
• **Haddock**					
Salade acidulée au haddock	99	10	13	19	236
• **Haricot blanc**					
Fassolada	100	17	2	40	246

RECETTE	PAGE	PROTÉINES	LIPIDES	GLUCIDES	ÉNERGIE (Kcal)
• **Langoustine**					
Buisson de mesclun aux langoustines	101	26	18	3	281
• **Lentille**					
Soupe de lentilles	102	14	2	35	214
• **Loup**					
Poisson mariné	103	14	12	2	174
• **Morue**					
Flans de morue à l'effilochée d'endive	104	11	8	4	134
Beignets de morue	106	19	10	20	246
• **Moule**					
Moules aux petits légumes safranés	107	19	5	5	143
Moules farcies	108	23	27	42	509
• **Noix**					
Chiffonnade de salades aux noix	110	7	13	3	159
Délice aux noix	111	9	24	6	279
Terrine de betterave au chèvre et aux noix	112	1	6	5	79
• **Pignon**					
Omelette aux pignons	113	20	30	1	358
• **Pois chiche**					
Purée de pois chiches	114	15	24	29	392

RECETTE	PAGE	PROTÉINES	LIPIDES	GLUCIDES	ÉNERGIE (Kcal)
• **Poivron**					
Duo de poivrons grillés	115	–	6	5	75
• **Pomme de terre**					
Omelette typique aux frites	116	16	24	31	404
Soupe avgolemono aux petits légumes	117	14	5	24	200
• **Pourpier**					
Salade de pourpier à la menthe	118	3	8	35	227
Salade de pourpier aux jeunes fèves	119	9	15	38	323
Salade tiède de pommes de terre au pourpier	120	6	5	42	241
Soupe de pourpier	121	6	5	42	241
• **Ricotta**					
Salade à la ricotta	122	7	15	–	165
• **Tarama**					
Terrine de tarama et blinis	123	57	202	1 733	256
• **Thon**					
Cœurs de laitue au thon	125	11	21	1	198
• **Tomate**					
Tomates tièdes au chèvre	126	6	9	6	130
Œufs brouillés aux tomates	127	15	13	5	199
Saint-Jacques en compotée de tomate	128	9	10	4	144

RECETTE	PAGE	PROTÉINES	LIPIDES	GLUCIDES	ÉNERGIE (Kcal)
POISSONS ET CRUSTACÉS					
• **Daurade**					
Daurade à l'étouffée	129	24	11	10	238
Daurade en habit vert et risotto d'épinards	130	32	13	55	465
Soupe de poisson traditionnelle	132	29	8	38	340
Daurade royale et purée d'aubergine	134	31	33	18	499
• **Espadon**					
Espadon rôti et tian de légumes	135	19	10	12	217
• **Gambas**					
Gambas de Spyros	136	21	10	5	188
• **Langoustine**					
Langoustines aux poivrons rouges	137	38	3	4	196
• **Loup**					
Filets de loup aux artichauts	138	21	8	10	199
Loup grillé au fenouil	139	32	11	24	319
• **Mérou**					
Kakavia	140	33	21	25	421
• **Pageau**					
Pageau en papillote et gratin de tomates	141	34	13	15	317

RECETTE	PAGE	PROTÉINES	LIPIDES	GLUCIDES	ÉNERGIE (Kcal)
• **Rouget**					
Rougets aux herbes et gratin d'aubergines	142	25	31	13	436
Rougets frits et salade crétoise	144	31	35	5	465
Savoro au romarin et risotto de lentilles	145	34	17	27	403
• **Saint-Jacques**					
Saint-Jacques aux endives et effluves d'orange	146	19	10	9	204
Porée marine	147	27	9	10	232
• **Sardine**					
Moussaka de sardines	148	15	29	9	361
Sardines farcies aux pignons et tian d'épinards	150	16	22	43	440
• **Saumon**					
Saumon en robe d'aubergine et coulis de tomates	152	29	37	7	477
• **Seiche**					
Seiches aux épinards	154	31	12	3	244
Seiches poêlées au vin rosé et pissenlits pochés	155	46	14	24	412
• **Thon**					
Steak de thon et purée à l'huile d'olive	156	38	30	32	550

RECETTE	PAGE	PROTÉINES	LIPIDES	GLUCIDES	ÉNERGIE (Kcal)
Thon Costes et tian de courgettes	157	40	25	6	414
Thon aux échalotes	158	28	17	18	342
VOLAILLES ET GIBIERS					
• **Caille**					
Cailles aux choux et baies de genièvre	160	20	4	8	150
• **Canard**					
Magrets à l'orange en compotée de poivrons	161	36	19	4	335
• **Coquelet**					
Coquelet à l'estragon et aux marrons confits	162	33	11	35	375
• **Dinde**					
Dinde farcie aux fruits secs	163	38	12	5	284
• **Faisan**					
Faisan bohémien et purée de pommes et céleri	165	43	28	47	612
• **Lapin**					
Lapin confit aux poireaux	167	44	21	13	423
Lapin des bois et gratin au pourpier	168	52	31	26	599
Lapin doré aux courgettes	170	38	19	12	376

RECETTE	PAGE	PROTÉINES	LIPIDES	GLUCIDES	ÉNERGIE (Kcal)
Paupiettes de lapin au chèvre et à la menthe	171	43	28	36	568
• **Lièvre**					
Stifado de lièvre	172	32	28	12	428
• **Pigeon**					
Pigeons aux noix et crêpes de pavot	173	35	23	102	755
Soupe avgolemono et salade de pigeon	175	32	23	25	441
• **Pintade**					
Pintade en croûte de thym et cake de polenta	177	35	17	57	529
• **Poulet**					
Cuisses de poulet aux oignons et ragoût de légumes	179	30	10	31	339
Émincé de poulet aux pamplemousses	181	30	12	27	342
Poulet au citron persillé et pets de patate	183	30	12	40	394
Poulet sauté aux gombos	184	36	11	15	303
Poulet des moines et sauce aux noix	185	27	16	4	271
Poulet rôti à la tomate	186	40	11	48	443
Youvetsi	187	43	20	45	532

RECETTE	PAGE	PROTÉINES	LIPIDES	GLUCIDES	ÉNERGIE (Kcal)
VIANDES					
• **Agneau**					
Agneau de lait au blé concassé	188	26	27	49	550
Agneau « ilote »	189	39	19	36	471
Carré d'agneau aux légumes nouveaux	190	23	23	32	423
Épaule d'agneau confite	191	28	20	10	332
Gigot d'agneau à la confiture d'aubergines	192	31	17	14	338
Gigot d'agneau au jus d'épices et aux poivrons rouges	194	30	19	5	315
Kleftiko et ratatouille crétoise	195	27	34	10	454
• **Bœuf**					
Émincé de bœuf aux raisins	197	22	13	3	217
• **Chevreau**					
Chevreau à la jardinière de pois gourmands	198	23	19	5	402
Chevreau rôti au thym	199	22	19	35	404
Fricassée de chevreau à la romaine	200	–	–	–	–
• **Cochon de lait**					
Cochon de lait à la sauge	201	20	30	11	394

RECETTE	PAGE	PROTÉINES	LIPIDES	GLUCIDES	ÉNERGIE (Kcal)
• **Porc**					
Émincé de porc aux poireaux	202	20	18	7	270
Sauté de porc au sésame et pilaf de boulghour	203	29	27	47	554
Porc aux betteraves	205	20	20	12	308
• **Veau**					
Escalopes de veau aux pignons et tomates brûlées	206	36	14	9	310
PÂTES					
Fettucines au pecorino	208	22	19	37	407
Fettucines de l'impatiente	209	7	10	43	290
Pastitsio	210	39	28	43	587
Spaghettis aux calmars	212	20	9	34	301
Spaghettis de la distraite	214	17	6	26	230
Tagliatelles aux gambas	215	25	8	40	332
Tagliatelles aux moules	216	29	8	41	352
DESSERTS					
• **Ananas**					
Sorbet à l'ananas	217	–	–	88	352
• **Figue**					
Compote de figues et cocos de l'économe	218	5	1	28	141

Recette **Page**

Recette **Page**

Recette **Page**

Recette **Page**

ENTRÉES

POISSONS ET CRUSTACÉS

VOLAILLES ET GIBIERS

Recette	Page

DESSERTS

Bibliographie

Pour découvrir l'histoire et la culture de la Crète, et les aspects généraux du régime crétois sans oublier quelques titres d'ouvrages culinaires.

BUSSEMAKER et DAREMBERG, *Collection des médecins grecs et latins*, tome 2, Paris, 1834.

DUCASSE A., *Méditerranées*, Paris, Hachette, 1998.

FRANKLIN A., *La vie privée d'autrefois*. La cuisine, Paris, 1888 ; *Le café, le thé et le chocolat*, Paris, 1893.

GALIEN, *Œuvres anatomiques, physiologiques et médicales*, traduction Daremberg, Paris, 1854.

GEDDA G., *La table d'un provençal*, 4e éd., Paris, Roland Escaig, 1995.

KAZANTZAKI N., *Alexis Zorba*, Paris, Le Livre de poche, 1964.

KESNAN R., *La cuisine de la Bible*, Paris, 1995.

LATY D., *Les régimes alimentaires*, Coll. Que sais-je, Paris, PUF, 1996.

LACARRIÈRE J., *L'été grec*, Plon, 1975.

MERCIER L. S., *Tableau de Paris*, tomes 1 et 2, Paris, Mercure de France, 1994.

PLINE, *Histoire naturelle*, livres XXII, XV, XVIII, XIX, XXIII, Paris, Les Belles Lettres, 1949, 1960, 1972, 1964, 1971.

RENAUD S., *Le régime santé*, Paris, Odile Jacob, 1998.

RIDWAY J., *Le Guide de l'huile d'olive*, Soline, Courbevoie, 1996.

SALLES P. et MONTAGNÉ P., *La grande cuisine illustrée*, Paris, Monaco, 1900.

SCOTTO E. et FORGEUR B., *L'Huile d'olive*, éd. du Chêne, Paris, 1995.

THULARD J., *Histoire de la Crète*, Paris, PUF, 1979.

WEATON KETCHAM B., *L'office et la bouche*, Paris, Calmann-Lévy, 1984.

Cette bibliographie non exhaustive sera utile au lecteur qui chercherait à approfondir certains aspects du régime crétois.

• Régime crétois : historique, description, sociologie

CRATTY P., *The mediterranean diet as a food guide, Nutrition Today*, 1998, 33 : 227-32.

NESTLE M. éditeur, Mediterranean diets, *Am. J. Clin. Nutr.*, 1995, *61* : 1313 S-1427 S.

PADILA M., L'alimentation méditerranéenne : une nouvelle référence internationale ? *Cah. Nutr. Diet.*, 1990, *31* : 204-8.

RENAUD S., *Le régime santé,* Paris, Odile Jacob, 1995.

SKAWINSKA V. et BANOUSSIS T., *Manger crétois,* Paris, Michel Lafon, 1999.

• Régime crétois et maladies cardio-vasculaires

Consensus européen, Huile d'olive et régime méditerranéen. *Cah. Nutr. Diet.*, 1997, *32* : 207-9.

JACOBS D.R. *et al,* Whole-grain may reduce the risk of ischemic heart disease death in postmenopausal women : the Iowa Women's Health Study, *Am. J. Clin. Nutr;*. 1998, *68* : 248-57.

JOHNSTON P. K. et SABATÉ J. éditeurs, Third International Congress on vegetarian nutrition. *Am. J. Clin. Nutr.*, 1999, *70* : 4295-6345.

KAFATOS *et al,* Heart disease risk-factor status and dietary changes in the Cretan population over the past 30 years : the Seven Countries Study, *Am. J. Clin. Nutr.*, 1997, *65* : 1882-6.

De LORGERIl M. *et al,* Mediterranean Diet, traditional risk factors, and the rate of cardiovascular complications after myocardial infection, *Circulation,* 1999, *99* : 779-85.

De LORGERIL M., SALEN P., Wine ethanol, platelets, and Mediterranean diet, *Lancet,* 1999, *353* : 1067.

De LORGERIL M., Mediterranean diet in the prevention of coronary heart disease, *Nutrition,* 1998, *14* : 55-7.

NESTLE M. éditeur, Mediterranean diets, *Am. J. Clin. Nutr.*, 1995, *61* : 1313 S-1427 S.

RENAUD S., *Le régime santé,* Paris, Odile Jacob, 1995.

• Régime crétois et cancer

GERBER M. et CARPET D.E., Alimentation méditerranéenne et santé : cancers, *Med. Nutr.*, 1997, *4* : 143-54.

JOHNSTON P. K. et SABATÉ J. éditeurs, Third International Congress on vegetarian nutrition. *Am. J. Clin. Nutr.*, 1999, *70* : 4295-6345.

De LORGERIL M. *et al,* Mediterranean diet pattern in a randomized trial, *Arch. Intern. Med.*, 1998, *158* : 1181-7.

RIBOLI E., DECLOÎTRE F., COLLET-RIBBING C., *Alimentation et cancer,* Paris, Éditions Tec et Doc, 1996.

Remerciements

Lorsqu'on écrit un livre, on est tenu de remercier un certain nombre de personnes qui, de près ou de loin, ont participé à la rédaction de l'ouvrage. C'est de tout cœur que nous nous soumettons à cette tradition. Courtoisie oblige mais pas seulement.
– Spyros Moissakis et son épouse Andrea nous ont prodigieusement aidés. Il est crétois, elle est chypriote. C'est avec leur générosité toute méditerranéenne qu'ils nous ont régalés dans leur taverne « Les Diamantaires ». Spyros nous a confié ses secrets, d'habitude si jalousement gardés. Andrea a cherché de vieilles recettes traditionnelles que nous avons testées ensemble. Elle est allée jusqu'à ramener des escargots de Crète !
– Anne de Fournas nous a fait rencontrer Andrea et Spyros ;
– Claude Drigués, propriétaire et concepteur du restaurant « Le Sud », a été attentif à notre projet. C'est parmi les oliviers et au chant des cigales qu'on se régale d'une cuisine qui respecte les éléments du régime crétois. C'est grâce à lui que nous avons découvert le talent de Guy Gedda, pape de la cuisine provençale.
– Martine Lugan, maîtresse de maison « toquée », a gentiment répondu à toutes nos questions.
– Vladimir Mitz nous a fait redécouvrir l'univers de l'écrivain Nikos Kazantzaki, né en Crète (1885-1957).
– Jean-Michel Laty a accepté d'arpenter les marchés parisiens pour chercher du pourpier et tester toutes les recettes de cet ouvrage. Louées soient sa patience et sa légendaire complicité !

Mais nous adressons aussi un immense merci à Jean Arcache, Valérie Strauss-Kahn et Caroline Rolland, nos éditeurs, pour leur rapidité de réaction et leur aide bienveillante ainsi qu'à Gérard des « Boucheries de Paris », Jacquie le poissonnier du marché du Grand Pavois et Paul Joubert le volailler de la rue Saint-Charles, sans oublier Marie-Sophie Claux et Anne Deville, diététiciennes. Cet ouvrage est le fruit mûri de toutes ces compétences réunies.

Adresses complices

– Les Diamantaires (Spyros Moissakis)
60, rue La Fayette 75009 Paris
Tél. 01 47 70 78 14
– Le Sud (Claude Drigués)
91, bd Gouvion-Saint-Cyr 75017 Paris
Tél. 01 45 74 02 77
– Hôtel Costes (Jean-Louis Costes)
239, rue Saint-Honoré 75001 Paris
Tél. 01 42 44 50 25
– Le Restaurant du Palais-Royal
(Bruno Hees)
110, Galerie de Valois 75001 Paris
Tél. 01 40 20 00 27
– Les Argonautes (Georges Lironis)
12, rue de la Huchette 75005 Paris
Tél. 01 43 26 79 86

N° d'édition : 34499 - Dépôt légal : janvier 2001 – ISBN : 2-7441-4325-1
Imprimerie Aubin - 86240 Ligugé – N° imp. L 61062